創作講座

料理を作るように小説を書こう

山本弘

Hiroshi Yamamoto

東京創元社

目次
contents

創作講座　料理を作るように小説を書こう

はじめに
美味しい小説を
書きたい人のために

■はじめに　美味《おい》しい小説を書きたい人のために

Q.〈この本を読んだら私もプロ作家になれますか？〉

そんなお約束はできません。

世の中には小説の書き方をレクチャーする本がたくさんあります。それらの多くは、確かに参考になることがいろいろ書かれています。

でも、タイトルからして怪しい本もあるんですよね。この本に書いてあることを実践すれば新人賞が取れるとか、必ず作家になれるとか宣伝している本。それどころか「人気小説を書こう」とか「ベストセラー作家になれる」とか謳《うた》っているものもあります。そのまま「芥川賞・直木賞だって狙える」と書いてある本もありました。まあ、狙うだけなら誰でも狙えますけどね……。

この手のフレーズの中で、いちばんおおげさだと思ったのは、『新装版　冲方丁《うぶかたとう》のライトノベルの書き方講座』（このライトノベルがすごい！文庫）という本のオビのコピーです。

〈キミにも『マルドゥック・スクランブル』が書ける!!〉

いや、書けませんって!!

『マルドゥック・スクランブル』（ハヤカワ文庫ＪＡ）みたいなすごい小説が、本一冊読んだだけで書けるようになるなんてありえません。このコピーを考えたのは著者の冲方丁さんではなく編集者でしょうけど、ちょっと誇大広告が過ぎるんじゃないかと思いました。

ただ、この『冲方丁のライトノベルの書き方講座』という本自体は、冲方さんの体験に基づく実践テクニックがいろいろ書かれていて、とても参考になる本ですので、おすすめしておきます。

とりあえず、**本書『創作講座　料理を作るように小説を書こう』は「作家になるなんて簡単だ」と主張するようなものではない**、ということを覚えておいてください。

Q.〈小説を書くのって難しいんでしょうか?〉

いいえ、小説は誰だって書けます。でも、作家になるのは難しいんです。

たとえば、料理は誰でも作れます。粉末スープをお湯に溶かすのも、炊飯器で米を炊くのも、温かいご飯に生卵をかけて卵かけご飯にするのも、いちおうは「料理」です。しかし、食べてみて「美味しい」と思える料理、お店でお客様にお出ししてお金を取れる料理を作るには、修業が必要です。

それと同じです。小説を書くことは簡単ですが、その小説が面白いかどうかは別問題です。面白い小説を書くためには練習が必要です。まして、プロとしてデビューし、食べていこうとしたら大変です。運良くデビューできても、人気作家になれるのは、ほんのひと握りの幸運な人たちだけです。

「小説を書くこと」「面白い小説を書くこと」「作家になること」「売れる作家になること」――この四つを混同してはいけません。それらの間にはものすごく大きなギャップがあるということを、まず理解してください。

Q.〈じゃあこれはどんな本なの？〉

小説が少しだけ上手くなる、そのテクニックをお教えするものです。

僕の実質的なプロデビューは、一九八八年三月に発表した長編『ラプラスの魔』（角川スニーカー文庫）です。それ以来、約三〇年も小説を書いてきました。これまで商業出版で発表した長編と短編集は四〇冊以上です。（他にもゲーム関係の本やノンフィクション本、趣味で作っている同人誌が多数あるんですが、ここでは話を小説、それも商業出版に限定したいので、それらは含めません）

それだけの経験がありますから、いろんなノウハウを――プロットを思いつく方法や、小説を面白くするテクニック、楽ができるテクニックを、いくつも知っています。アマチュアが考えた机上《きじょう》の空論ではありません。どれもプロとしての僕の体験に裏打ちされた実践的なテクニックです。それをこれから、あなたにお教えしようと思います。

たとえば、プロの料理人が自分の体験を基に書いた、料理を美味しく作るコツを解説した本があったとします。それを読んで実践すれば、あなたの料理は少しだけ美味しくなるはずです。もちろん、料理を作るコツを知ったからといって、すぐ本職の料理人になれるわけではありません。でも、コツを知っていたほうが役に立つのは確かでしょう？

ですから、僕はあなたに「必ず作家になれます」とお約束することはできません。言えば嘘になりますから。

しかし、最後までおつき合いいただければ、あなたがこれまでより小説を少しだけ上手く書けるようになり、その作品が少し面白くなることだけはお約束できます。

Q．〈そのテクニックって、作家にとって企業秘密じゃないんですか？　読者に明かしちゃっていいんですか？〉

料理人が料理のコツを明かしたって、何の支障もないでしょう？

むしろ、テクニックを自分だけの秘密にしておくのがもったいないんです。多くの人に知ってもらって、面白い小説をいっぱい書いてほしい。そう思ってこの企画を考えました。

あと、無理にとは言いませんが、できれば本書を読んだ後、僕の小説を何冊か買って読んでいただけるとありがたいですね。この本と読み比べれば、「あっ、ここであのテクニックを使ってるのか」という発見が、いろいろあると思います。

Q．〈そのテクニックって、どんなジャンルの小説にも応用できるの？〉

僕が書いてきたのは基本的に娯楽小説です。ＳＦ、ファンタジー、ホラー、ミステリ、コメディ、青春小説などですね。児童書やライトノベルも何冊も出しています。ですから、僕のテクニックは、そうした娯楽小説全般に応用できると思います。

ただ、いわゆる純文学系のものは書いたことがありません。ですから純文学に応用できるかどうかは分かりません。

娯楽小説とはその名の通り、読者に娯楽を提供するものです。胸躍る冒険、手に汗握るサスペンス、爆笑のコメディ、謎が謎を呼ぶミステリ、涙があふれる悲劇、背筋が寒くなるホラー、ハートが温かくなる恋愛小説……読者の情動を刺激して、様々な疑似体験をさせる物語。それが娯楽小説です。

Ｑ．〈プロ作家を目指す人のための本なんでしょうか？　私はアマチュアで小説を書いているだけで、プロになる気はないのですが〉

いちおうプロになるための心得についても触れていますが、プロになる気のない人は、そこを読み飛ばしてもらってもかまいません。小説の書き方については、プロでもアマチュアでも参考になるはずです。

この本の中では、小説を書くという行為を、しばしば料理にたとえて説明します。

アイデアは食材です。

プロットは調理法です。

「このアイデアを使ってどんな話を作ろうか」と構想を練るのは、「この食材はどう料理すれば美味しくなるか」と考えること、つまりレシピを考える行為に相当します。

そしていよいよ調理、すなわち執筆にかかります。

調理の途中で味見をしながら、焼き加減を調節したり、調味料や香辛料で味を調えたりします。最後に、皿に盛ってお客様にお出しします。

甘い料理、辛い料理、あっさりした料理、こってりした料理などがあるように、小説にも甘い小説、辛い小説、あっさりした小説、こってりした小説があります。どんな料理を作るかはあなたしだい。時には失敗して、ひどい料理を作ってしまうこともあるでしょう。でも、ちょっとしたコツをいくつか知っていれば、失敗する確率は減らせて、あなたの作る料理はいっそう美味しくなるはずです。

これは美味しい小説を書きたいあなたのための本なのです。

■作家ってどれぐらい儲《もう》かるの？

Q.〈プロの作家ってどれぐらい儲かるんですか？〉

ピンからキリまであります。

まず本を出版した場合に入ってくる「印税」というものについて説明します。本の定価にパーセンテージ（印税率）と出版部数を掛けた数字で、その金額が出版社から作家に支払われます。

定価×印税率×出版部数＝印税

これが作家の受け取る金額です。正確に言えば出版社に源泉徴収されるので、これよりやや少なくなります。

印税率は一〇パーセントが普通です。ただ、それより低くなる場合もあります。それはノヴェライズ――映画やゲームのシナリオを小説にしたり、人気マンガの番外編を小説で書いたりする仕事です。それらは小説の作者がすべて考えているわけではなく、他に原作者がいるわけですから、原作者にも印税の一部が支払われます。

たまに間違える人がいるのですが、紙の本の印税は、売れた部数ではなく、出版した部数に対して支払われます。たとえば一万部を出版して五〇〇〇部しか売れなくても、印税は一万部の分が支払われるんです。

よく売れて本の在庫が少なくなってくると、重版がかかります。本をさらに刷るわけです。最近では、マンガ原作でドラマのタイトルにもなった「重版出来《じゅうはんしゅったい》！」というやつです。もちろん重版のたびに、増刷した部数分の印税が作家に支払われます。だから本が売れて重版がかかることは、出版社が儲かるだけじゃなく、作家にとってとてもありがたいことなんです。

電子書籍の場合、紙の本と違い、「初版部数」というものがありませんから、売れた部数に対してしか印税は支払われません。ただし、印税率は紙の本より高く設定されています。

二〇〇三年、『神は沈黙せず』（角川文庫）を書いた時には、まだ電子書籍は黎明期でした。当時は、これから紙の本から電子書籍への移行が雪崩《なだれ》を打ったように進むと予想していました。ですから作中では、二〇一〇年代初頭の日本では、電子書籍が紙の本をほぼ駆逐している設定にしていました。

現実はどうかというと、その雪崩がなかなか起きないんですよね。確かに電子書籍の売り上げはじわじわ増えてはいるんですが、まだ紙の本のほうが売れています。ただ、ここ数年、自分の本の電子書籍の売り上げが急に増えてきたのを実感しています。いよいよ雪崩が起きるのかもしれません。


閑話休題。では、人気作家の本はどれぐらい売れているのでしょうか。

一例としてKADOKAWAの雑誌〈野性時代〉二〇〇八年一一月号の特集「文庫はこんなにおもしろい！」から引用します。二〇〇〇年以降の角川文庫で、出版部数の最も多い本のベスト5はこうなっています。

ダン・ブラウン『ダ・ヴィンチ・コード』（上中下巻）　八一五万部
あさのあつこ『バッテリー』（全六巻）　五五一万部
宮部《みやべ》みゆき『ブレイブ・ストーリー』（上中下巻）　一八三万部
ダン・ブラウン『天使と悪魔』（上中下巻）　一四一万部

江國香織《えくにかおり》『冷静と情熱のあいだ　Rosso』　一三四万部

ちなみに累計売り上げ部数の最も多い作家は赤川次郎《あかがわじろう》さんで、一億六七万部。二〇〇八年のデータなので、今はもっと増えているはずです。『死者の学園祭』は二四四万部、『三毛猫ホームズの推理』は二〇六万部売れたとか。

さて、これらの本の定価を調べて、ここに示された部数を掛け、印税率を一〇パーセントとして計算してみてください。こうした人たちはそれぐらいの収入を得ているわけです。もちろん、収入のかなりの部分を所得税や地方税や消費税で持っていかれますが（作家も年収が一〇〇〇万円を超えると消費税を払う義務が生じます）、それにしてもすごく稼いでいることが分かりますね。

Q.〈七〇〇円の文庫本が一〇〇万部売れたら七〇〇〇万円!?　作家ってすごく儲かるんですね！〉

ええ、羨《うらや》ましいですよね。

ただ、誤解しないように。小説は一〇万部も売れません。**こんなに売れているのは作家の中のごくごく一部**なんです。

ほとんどの場合、小説は一〇万部も売れません。特に近年は出版不況で、初版部数が昔より絞られてきています。僕がデビューした一九八〇年代末のライトノベル業界では、新人でも初版部数三万部なんて景気のいい話があったのですが、今は単行本なら五〇〇〇部、文庫なら一万部も刷ってもらえればいいほうでしょう。

仮に一五〇〇円の単行本の初版が五〇〇〇部なら、印税は七五万円——おやおや、これでは一年間の生活費にもなりませんね。

文庫のほうをたくさん刷るのは、単行本よりも定価が安くて、買う人も多いからです。でも定価が安いということは、入ってくる印税も少ないということです。文庫の定価が七五〇円で、初版部数が一万部なら、印税はやはり七五万円です。作者に入ってくる印税の額は、単行本も文庫もそんなに変わらないと言えます。

あなたが新人作家としてデビューしたとするなら、一冊出すたびに入ってくる収入はこれぐらいだということです。いきなり何十万部も売れるなんて幸運は、めったにありません。

つまり小説だけで食べていこうと思ったら、年に一冊なんてペースではだめ。年に何冊も出さないといけないわけです。

Q.〈雑誌に載った小説の場合は？　やっぱり雑誌の発行部数で決まるんですか？〉

いいえ。雑誌に掲載される小説の場合は、印税とは違い、小説の分量を四〇〇字詰め原稿用紙に換算し、それを基準にして原稿料が支払われます。

今では原稿をパソコンで書く作家がほとんどですが、昭和の時代には、みんな原稿用紙に万年筆で手書きしていました。その名残《なごり》で、今でも原稿用紙の枚数が単位になってるんです。よく雑誌に「新鋭の書き下ろし一〇〇枚！」とかいうコピーが書かれていますが、あれがそうです。

当然、編集部からの原稿依頼も、「一〇〇枚で」とか「五〇枚で」とか、四〇〇字詰め原稿用紙を基準にした量で来ます。もちろん、「五〇枚」と言われても、五〇枚ぴったりで書かねばならないわけではなく、少しぐらい多かったり少なかったりしても許してもらえるんですが。

それがどれぐらいの分量なのか知っておくのは、小説を書くうえで大切です。お近くに本か小説誌があるなら、そこに載っている小説の一行あたりの文字数、一ページの行数、ページ数を数えて、それらを掛け、それを四〇〇で割って、原稿用紙の枚数に換算してみてください。

たとえば、一行あたり四〇字で、一ページ一八行、二〇ページの短編小説があったとしましょう。計算してみると――

40×18×20÷400＝36

この小説はだいたい三六枚なんだな、ということが分かります。計算には誤差がありますが、あまり細かいことを気にすることはありません。ここでは、だいたいの目安を感覚的に知っておくだけですから。

小説は長さによって、ショートショート、短編、中編、長編などがあります。いろんな作品の原稿枚数を計算して、「これぐらいの長さだとこれぐらいの枚数なんだな」というのを覚えておきましょう。

原稿料は今、一枚あたり三〇〇〇～五〇〇〇円ぐらいが相場です。たとえば一回五〇枚の連載で、原稿料が一枚五〇〇〇円なら、一月《ひとつき》に二五万円の原稿料が入ってくるわけです。これなら生活できそうですね。

仮に連載を一年間（一二回）続けて、計六〇〇枚の長編を書いたとしましょう。するとその原稿料の総額は、二五万×一二回で、三〇〇万円になります。

おや？　さっき、単行本の印税が七五万円という話をしましたよね？

そうなんです。本の発行部数が少ない場合、連載の原稿料のほうが、本の印税を上回ることがよくあるんです。

ですから作家にしてみると、雑誌連載というのはすごく嬉しい仕事なんです。毎月、定期的にお金が入ってくるだけでなく、連載で原稿料が貰え、本になったら印税が貰え、さらにそれが文庫になったら、また印税が入ってくるわけですから。一回の仕事で三回美味しいんです。

Q.〈なるほど！　じゃあ雑誌に連載してもらえるよう、これから編集部に売りこみに行きます！〉

ああ、ちょっと待ってください。連載というのは頼めばさせてもらえるというものではありませんよ。

今、小説誌はどこも赤字なんだそうです。休刊したり、電子書籍に移行する雑誌も相次いでいます。当然ですよね。毎月、雑誌を出すたびに、何百万円もの原稿料が作家に支払われてるんですから。

そもそもなぜ、作家に雑誌連載を依頼するのでしょうか？　それには二つの大きな理由があります。

第一に、人気作家の原稿を確保できるということ。「六〇〇枚の長編を書き下ろしてください」と言われたら、作家としてはちょっと二の足を踏んでしまいます。特に、他にも仕事を抱え、毎月、たくさんの原稿を書いている作家の場合、六〇〇枚の長編を執筆するのに要する時間を、スケジュールのどこに組みこむかで悩みます。

でも、「一回五〇枚で一年間連載してください」と言ったらどうでしょうか。月に五〇枚ぐらいなら、他の仕事の合間にこなすことはできそうです。おまけに原稿料が貰えるんですから、やはり作家としては引き受けないわけにはいきません。

出版社としては、これでその作家の長編の原稿を確保できるわけです。連載の原稿料を支払ったとしても、その分、本を売って儲ければいい——そういう計算で連載を依頼してくるわけです。

もうひとつ、小説誌には宣伝の意味もあります。ある小説誌にAさんという人気作家が連載していたとします。Aさんのファンはそれを読みたくて買う。でも、同じ雑誌の中には、BさんやCさんやDさんの小説も載っています。Aさん目当てで買った人も、それらの作品に目を通すでしょう。つまりBさんやCさんやDさんの作品にも興味を示してもらえるかもしれない。

ですから、小説誌に連載を持てるのは、本を出せば売れそうな作家や、出版社がこれから推したい作家——「この人は儲けさせてくれそうだ」と編集者に思われている作家です。そうでないと仕事は来ません。当たり前ですけど。

だから連載というのは、作家にとって、単に原稿料が入ってくるというだけではないんです。編集者があなたの作品を評価して、期待してくれているということなんです。それを誇りに思い、感謝しなくてはいけません。

Q.〈作家はどれぐらいのペースで小説を書くんでしょうか？〉

人によって様々です。速く書ける人はものすごく速いです。

最盛期の半村良《はんむらりょう》さんは、月に一二〇〇枚書いていたと言われています。一日に平均四〇枚ですね。小松左京《こまつさきょう》さんは長編『果しなき流れの果に』（ハルキ文庫）の連載時、最終章を一晩で書き上げたという伝説があります。未読の方は読んでみてください。「こんなの一晩で書いたの!?」と驚きますから。しかもワープロやパソコンがまだなく、原稿用紙に手書きしていた時代にです。

僕は——というか大半の作家は、そんなに早くは書けません。僕の場合は一日に平均一〇枚ぐらいです。少し急げば二〇枚ぐらい。一度だけ、締め切りに追われて一日に四〇枚書いたことがありましたが、さすがに文章が荒れたので、こんなスピードでは二度と書くまいと心に決めました。

前に、作家として食べていくには年に何冊も本を出さないといけない、という話をしましたね？ 一日に一〇枚なら、休日なしで一ヶ月で三〇〇枚、二ヶ月で六〇〇枚。つまり二ヶ月で長編一冊分ぐらいの原稿が書けるという計算になります。

実際には、資料を集める時間、書き直しの時間、ゲラ（印刷に回す前の試し刷り）チェックの時間、その他もろもろの用事も含まれますから、せいぜい四ヶ月で本一冊というところでしょうか。つまり年三冊。

これは最低ラインです。これよりも遅いと、アマチュア作家や兼業作家ならともかく、専業作家として食べていけません。

もちろん、あなたがアマチュアで、まだ小説を書きはじめたばかりなら、「一日一〇枚」にこだわる必要はありません。最初はゆっくりでいいんです。慣れてきたら少しずつスピードを上げて、一日に最低一〇枚書くことを目指しましょう。

■どうやったら作家になれるの？

Q.〈ライトノベルってすごく楽に書けるんですよね？　普通の作家になるのは難しくても、ライトノベル作家なら簡単になれるんでしょ？〉

それは多くの人が抱いている偏見ですね。実際、ネットで見ていると、そんな風に勘違いし、ライトノベル作家を蔑《さげす》んでいる人をよく見かけます。


「絵が描けないプログラミングもできない。でも一発当てたい。そういうクズがなる職業」

「ヲタク商売の中じゃ一番敷居低いよな。技術とか要らないし」

「レベルが低いからこそ、できるやつがラノベ書けば簡単に売れそう。書きたいものにちょっと萌え入れて、かわいい絵かける絵師使うだけでいいと思うんだけど」

「ラノべって展開考えたら会話だけとりあえず全部書いて、後は会話の間に状況とか挟んでいけばすぐ作れそう」
「ラノベはキャラクター作りを細かくやれば後は適当で良さそうだしな」
「カネに困ってるならラノベに賭けるのもアリじゃね。マンガ家よりは技術いらないし」

これらは実際にネットの掲示板で拾った意見の一部です。本当にこんなことを言う人が多いんです。僕はこういうふざけた主張を目にするたびにむかむかして、こうツッコミたくなります。

だったらお前、なってみろ。

そんなに楽だと思うのなら、なれるはずでしょ？

ライトノベル作家のみなさんだって、簡単にデビューできたわけではありません。出版社の新人賞に応募し、受賞してプロデビューした人がほとんどです。

ライトノベルに限ったことではありませんが、どの新人賞も応募作は数百編。中には一〇〇〇編を超える賞もあります。それだけの数の中から大賞や優秀賞に選ばれるのはほんの数編。**つまり競争率は数百倍**です。

新人賞を受賞する以外にも、〈小説家になろう〉などの小説投稿サイトで人気が出て、それがきっかけで出版社からオファーを受け、プロデビューする例が増えています。でも、そうしたサイトに投稿される小説の数は膨大で、そこからプロデビューする人はごく少数です。新人賞に応募する場合と同じく、おそらく競争率は数百倍、あるいは数千倍かもしれません。**東大受験よりもはるかに狭き門**なのです。

東大に合格することを「簡単だ」とか「敷居が低い」とか「技術はいらない」とか蔑んでいる

人がいたら、おかしいですよね？

　他にも、ライトノベルに対する偏見として、「ラノベのヒットって内容よりもイラストレーターの力量に拠《よ》るところが大きいだろ」とか「誰に絵を描かせるかで九割決まる世界なんでしょ？」と言う人もいます。イラストレーターにかわいい絵を描かせれば、それだけで売れると思いこんでいるんです。

　そんなのは幻想です。書店に行ってライトノベルの棚を見てください。ほとんどみんな、かわいい絵がついてますよ。それらが全部ヒットしてるんですか？

　そんなわけありませんよね。かわいい絵をつけても、ヒットしない本のほうが圧倒的に多いんです。まあ、かわいい絵がついてるほうがいいとは思いますが、それはヒットするための必要条件であって、十分条件じゃないんです。

「ライトノベル作家なんて誰でもなれる」と思っている人は、市販の即席ラーメンしか食べたことがないのに「ラーメン屋なんて誰でもなれる」と思っているのと同じです。ラーメンのスープを作るだけでも、豚骨や鶏がらをぐつぐつ煮こんだり、調味料で味を調えたりといった、お客さんから見えないところでの努力がいっぱいあるんですが、それが分かっていないんです。

　他にも小説を発表するには、自費出版という道もあります。

　以前は自費出版というのはけっこう金がかかったものなのですが、最近ではKindleのＫＤＰ（Kindle Direct Publishing）や、楽天KoboのKobo Writing Lifeのように、自分で気軽に電子書籍を出版できるサービスがあって、すでにそこからデビューしている作家も何人もいます。

　たとえば藤井《ふじい》太洋《たいよう》さんは、二〇一二年、KindleとKoboで長編ＳＦ『Gene Mapper』を発表、それがよく売れて評判になったので、早川書房からオファーを受け、『Gene Mapper』を全面改稿した『Gene Mapper -full build-』（ハヤカワ文庫ＪＡ）を出版、プロデビューされました。

海外でも例があります。大ヒットした映画『オデッセイ』の原作であるアンディ・ウィアーさんの『火星の人』（ハヤカワ文庫ＳＦ）は、もともと彼が自分のサイトで連載していた小説です。それをまとめてKindleから出版したところ大好評、たちまち映画化が決定したのです。

こうしたシンデレラ・ストーリーを見ると羨ましくなりますよね？

でも、これらは無数に出版されている電子書籍のごく一部であることを忘れてはいけません。他にも電子書籍を自費出版している人は大勢いるのです。そのほとんどはまったく話題になっていません。やはり競争率は数百倍、数千倍でしょう。

藤井太洋さんやアンディ・ウィアーさんは、その狭き門を突破してきたのです。あなたがプロの作家になろうとしているなら、それぐらいきびしい道だということを、まず理解してください。

Q.〈小説を書きました。プロの作家としてデビューしたいんですが、出版社を紹介していただけませんか？〉

たまにこういうことを言ってくる人がいるんですが、お断りしています。

プロになりたいなら、なぜ新人賞に応募しないんですか？

もしかして、「新人賞に応募しても通らないかもしれない」と思ってる？　だからプロ作家に斡旋《あっせん》してもらおうと？　それは根本的におかしいですね。

作者自身が「新人賞に応募しても通らないかもしれない」と思っている作品なんて、他の人が読んで面白いわけないじゃないですか。

よほどよく書けた作品、作者自身が「これなら新人賞を取れるぞ！」と思えるような作品でないと、読者は感心してくれません。そして、そんな自信があるなら新人賞に応募すべきです。

もちろん、すでに述べたように、新人賞を取るのは難しいです。でも、そこで尻ごみせず、当たって砕けろの覚悟で挑戦した人だけが賞を取れるんです。たとえ失敗しても、それで終わりじゃありません。何度でもチャレンジすればいい。

新人賞だけではありません。投稿サイトに投稿する。ＫＤＰで自費出版する――今やデビューの道はいくつもあります。その中のどれかを選べばいいんです。どれも競争率が高いことには違いはありませんが。

作家になるための楽な近道を探すのはやめましょう。どんな商売でもそうですが、楽して儲かる方法なんてないんです。

Q.〈作家になりたいんですが、弟子にしていただけますか？〉

「作家に弟子入り」なんて、いつの時代のセンスですか？　昭和の時代にはあったかもしれませんが、今は二一世紀ですよ？

現代の作家のほとんどは、弟子はいませんし師匠もいません。そもそも弟子を取るメリットがないんです。週刊連載するようなマンガと違って、小説にはアシスタントは必要ありませんから。

まれに、人気作家の方が秘書を雇っている例はありますけど、基本的に一人でこつこつと書く孤独な作業です。

まあ、たまに思いますけどね。「ここ、背景、書いといて」とアシスタントに渡したいなと（笑）。でも、すぐに考えを改めます。そんなのは自分で書いたほうが早い。

現代の作家は、みんな独力で小説の腕を磨き、独力でデビューした人ばかりです。だから弟子入りなんて考えるのは無駄です。そんなものに時間と労力を割くぐらいなら、その時間と労力で小説を書いたほうがよっぽど有益です。

■どういう人が作家になれるの？

Q.〈作家になるのに適したタイプの人っていますか？〉

世の中にはいろんなタイプの作家がいるので、「作家になるのに適したタイプ」がどういうものかは、はっきり言うことはできません。

「きちょうめんな性格の人」とか「毎日確実に原稿を書き続けられる根気のいい人」などと言えればいいんですけどね。でも僕自身、かなりだらしない性格なもので（笑）。今こうして原稿を書いている最中も、床の上に執筆のための資料が散乱してるんですよ。

だから、「作家になれる性格」というものはないと思います。どんなタイプの人でも、作家になれる可能性があります。でも、作家になるのに適していない人はいます。

それは「小説オンチ」の人です。

オンチの人は歌手や音楽家になれません。運動オンチの人はスポーツ選手になれません。方向オンチの人はガイドになれません。味オンチの人は料理人になれません。

そして小説オンチの人は作家になれません。

間違えないでいただきたいのは、小説オンチというのは「小説が下手」という意味ではありません。小説が下手なだけなら、修業して上手くなればいいだけのことです。

方向オンチの人が、自分が向かっている方向が間違っていることが分からないように、小説オンチの人は、自分が書いている小説が間違っていることに気がつかないんです。

小説オンチはさらに「文章オンチ」と「プロットオンチ」に大別されます。

文章オンチの人というのは、知能が低いわけではなく、それどころか大学を出ていたりするのに、文章が変。ちょくちょく、何が言いたいのか、何が書いてあるのか分からなかったりする。

どうも自分の文章がおかしいことが認識できていないらしいんです。文章全体を見ると、たくさんの映画を観たり本を読んだりしているようなんですが……。

それに比べると、「プロットオンチ」はやや分かりにくいですね。プロットがおかしいことに気がつかない人。「それ、理屈に合ってないでしょ？」とか「こういう場合の人間の心理として不自然でしょ？」と言っても、理解できない人。

僕が前に読んだ例では、あるお婆さんが、出会ったばかりの主人公に、いきなり何の脈絡もなく、深刻な身の上話を語りはじめるというシーンがありました。そういうのってまず、いくらか親しくなったところで、主人公の側からお婆さんの様子に気がついて、「何かあったんですか？」「よろしければ話していただけませんか？　お力になれるかもしれませんから」とか持ちかけるものじゃないですかね？

このように作中の設定やプロットの構造を見通すことを、僕は「プロットのデッサン力」と呼んでいます。デッサンの練習をしてデッサン力を身につけた人なら、ある姿勢の人間の骨格がどのような形になっているか、服の上からでも分かります。同様に、プロットに矛盾があったり無理があったりすると、「デッサンが狂ってる」と認識されます。

小説の修業をした人でなくても、多くの作品に接してきた人なら、自然に「プロットのデッサン力」は鍛えられていると思います。あなたも、小説やマンガや映画を観ていて、「この登場人物の行動は不自然だ」とか「もっと頭のいい展開があるはずだ」と、ピンときたことはありませんか？　それがデッサン力なんです。

でも、デッサン力がない人、「プロットオンチ」の人は、そうした欠陥に気づきません。デッサンの狂ったプロットを——つまりメチャクチャで理屈に合わないストーリーを、平然と受け入れてしまいます。ネットで、映画とかドラマとかの感想を読むと、「俳優の演技」とか「アクション・シーンの迫力」とかを中心に語る人が多く、「プロットが理屈に合っているかどうか」を気にかけている人が、意外に少ないです。

一例を挙げるなら、二〇〇六年七月にテレビ朝日系列で放映された『内閣権力犯罪強制取締官財前丈太郎』という深夜アニメがありました。こういう役職の主人公が巨悪と戦うという話なんですが、当時、ネットでは、「主人公の顔が急に大きくなる変な演出」とか「主人公のDa

Bombという決め台詞が『だっぽん』に聞こえる」とかが、ずいぶん話題になりました。

　でも、不思議なことに、ストーリーがまったくデタラメであることについては、ほとんどと言っていいほど批判がなかったんです。

　冒頭はロサンゼルス空港。日本から来るVIPを警護せよという指令を受けたCIA職員二人が管制塔の中で到着を待っていると（普通は到着ロビーで待つものでは？）、主人公・財前丈太郎はなぜかF－14トムキャット戦闘機に乗って飛来。管制塔をかすめ、操縦をオート・パイロットに切り替え、脱出してパラシュートで降りてきます。トムキャットがその後どうなったか、丈太郎がなぜこんな行動をしたのか、最後まで説明はありません。

　車でハイウェイを走っていると、殺し屋の車に狙われます。真正面から突っこんでくる敵の車。丈太郎はすれちがいざま、相手の車の屋根に飛び乗ります。えぇーっ!?

　丈太郎が何もしないのに、車は勝手に爆発炎上。燃えながら走り続ける車の屋根にへばりついて、丈太郎がつぶやきます。

「このスピードじゃ飛び降りても即死」

　あんた今、そのスピードで走ってる車に飛び乗りましたよね？　飛び乗っても無傷で、飛び降りたら即死？

　何とか貯水池に飛びこんで助かった丈太郎。彼を護衛していたはずのCIAの二人組は、彼の安否を確認しようとせず、「待ち合わせの場所に行きましょう」と走り去ってしまいます。

　岸に泳ぎ着いた丈太郎を助け上げる三人の牧師。だが、彼らも殺し屋でした。一人が聖書の中から銃を取り出し、他の二人はナイフとモーニング・スター（！）で襲いかかってきます。

……泳いでる時に撃てばよかったのでは？

ナイフで刺され、銃で撃たれる丈太郎。しかし、彼は無傷。なぜなら、ナイフは偶然にも葉巻入れに当たって止まり、弾丸はナイフの刃ではじき返されたのでした。「バカな!?　どうして死なない！」と言われた丈太郎、弾痕の残るナイフを見せて、

「四五口径の弾丸の初速は遅い」

いや、そういう問題じゃないだろ。

目的地の別荘にやってきた丈太郎、いきなりロケット砲（さっきまでそんなもん持ってなかったのに）をぶっ放します。出てきたのは、国民年金を横領してアメリカに逃げてきていた日本の官僚。丈太郎を殺そうとしていたのは、そいつに雇われた日本の暴力団でした。

暴力団に包囲され、何十丁という銃を突きつけられる丈太郎。ＣＩＡの二人組も駆けつけますが、たった二人では何の役にも立ちません。というか、銃を持った敵が何十人もいるところに、何の策もなしに乗りこんでくる人はいないと思いますが。

と、そこに暴力団ボスの携帯に電話がかかってきます。「上のほうで話がついた」と言って、暴力団はあっさり官僚の保護を放棄。さらにネイビーシールズ（アメリカ海軍の特殊部隊）が急に現われ、官僚にレーザー・サイトを浴びせかけます。「シールズまで動かしたのか！」と驚く一同。

……そんなことができるんだったら、最初からシールズといっしょに乗りこめば安全だったんじゃないんですか？

プロットに着目して見ると、これぐらい変なアニメだったんですが、こうしたストーリー上の

矛盾点を指摘する人はごく少数でした。ここで「他に見るべきところがあるなら、ストーリーなんて練る必要はないんだ」と思ってはいけません。プロットのデッサンは整っているに越したことはないのですから。

もしあなたが、『内閣権力犯罪強制取締官　財前丈太郎』を観たことがあり、なおかつ、プロットのおかしさに気づかなかったら、プロットオンチである可能性があるかもしれません。

Q.〈自分が小説オンチかどうか、どうやって確認できるんですか？〉

難しいですね。小説オンチの人は、自分が小説オンチだという自覚がないですから。

ひとつだけ、自分で見分ける方法があります。あなたが初めて書いた小説を「上手い」と思えるかどうかです。

「すごく上手い」とか「傑作だ」とか思えてしまう人は、小説オンチの可能性が高いです。だって、小説を書いた経験のない人が書いた小説なんて、うまいわけがありませんから。

逆に「上手くない」「下手だ」と自覚できた人なら、希望があります。「下手だ」と思えた人なら、これからその欠点を直していけばいいんです。

■作家としてデビューするまで

Q.〈あなたの場合はどうやって作家になったんですか？〉

プロになるために、ずいぶん回り道しました。

作家になりたいという夢は小さい頃から持っていました。小学生や中学生の頃は、大学ノートに鉛筆で小説を書きまくっていました。今思うと、プロットは破綻《はたん》しまくり、人物描写なんか皆無、どうしようもない下手っぴなものばかりでした。でも、書くこと自体が楽しかったんです。

高校時代から新人賞への応募を開始しました。最初に応募したのは一九七四年、早川書房のハヤカワ・SFコンテストと、徳間書店の〈問題小説〉という雑誌の新人賞です。執筆当時はまだ一八歳でした。ちなみに、なぜこの二つの賞を選んだかというと、どちらも選考委員の一人が、僕の敬愛する筒井康隆《つついやすたか》さんだったからです。

結果、ハヤカワ・SFコンテストのほうは一次選考で落ちましたが、〈問題小説〉に応募した「シルフィラ症候群」は最終選考まで残りました。受賞はしませんでしたが、初めて認められたことから、「僕には作家の才能がある！」という自信をつけました。（今から思うと、かなり天狗《てんぐ》になってましたけどね）

この時、「シルフィラ症候群」は商業誌には載らなかったものの、筒井氏から「〈NULL〉に載せてみないか」と声をかけていただきました。〈NULL〉はもともと筒井氏がアマチュア時代に作っていた同人誌です。一時は休刊していたのですが、一九七四年、筒井ファンの人たちが集まって作ったサークル〈ネオ・ヌル〉によって復刊されました。

筒井氏もその編集に関わっておられました。会員から投稿されてくる作品すべてに目を通し、掲載する作品を選んでいたんです。僕は当時〈ネオ・ヌル〉には入っていなかったのですが、すぐに入会し、〈ＮＵＬＬ〉に「シルフィラ症候群」を載せていただけることになりました。まだ同人誌というとガリ版刷りが主流だった時代に、活版や写植で印刷されていて、リッチな感じのする同人誌でした。同人誌とはいえ、自分の小説が活字になるというのは初めての体験で、すごく誇りに思ったものです。

「シルフィラ症候群」は、一九八五年、『ネオ・ヌルの時代　ＰＡＲＴ３』（中公文庫）という本に再録されています。今見ると若気の至りというか、欠点ばかりが目につく情けない作品です。作家志望の人が読んだら、「なんだ、山本弘という男は、こんなレベルの作品しか書けないくせに、プロになる気でいたのか」と、呆れられるかもしれません。しょうがないですよ、一八歳ですから（笑）。でも、同人誌とはいえ活字になって多くの人に読まれた僕の最初の作品ですから、思い出深いです。

ちなみに〈ネオ・ヌル〉の活動期間はたった三年ですが、のちに有名になる夢枕獏《ゆめまくらばく》さんの初期作品や、かんべむさしさん、堀晃《ほりあきら》さん、高井信《たかいしん》さんといった方たちの作品も載っていました。かなりの数のプロ作家志望者がひしめきあっていました。もっとも、その中からプロになれたのは、僕も含めて数人なのですが……。

一九七七年には、雑誌〈奇想天外〉の奇想天外ＳＦ新人賞に「スタンピード！」という短編で応募。結果は受賞には至らなかったものの佳作になり、「スタンピード！」は〈奇想天外〉一九七八年三月号に掲載されました。ちなみに、この時、やはり佳作になったのが新井《あらい》素子《もとこ》さんです。新井さんはその後、次々に作品を発表されてメジャーになっていったのですが、僕は逆にひどいスランプに陥《おちい》り、ぜんぜん小説が書けなくなりました。このスランプ体験、およびそれを突破した体験も、小説を書かれる方ならきっと参考になると思うので、後でお話しします。

スランプの間、マクドナルドの深夜の清掃とか、大学の学食の炊事補助とか、目立たないアルバイトで一〇年ぐらい食いつなぎました。今でいうフリーターです。幸い、まだ実家で暮らしていたので、バイト代の半分ぐらいを家に納めれば、文句は言われませんでした。

八〇年代前半には、京都の〈星群の会〉をはじめ、いくつかのアマチュアSFサークルに参加していました。もっとも、スランプはずっと続いていたので、せいぜい年に一本か二本の短編を同人誌に執筆するぐらいのペースでしたが。

八〇年代の半ばには、〈星群の会〉の若手会員が集まって、〈シンタックス・エラー〉というゲームサークルを作りました。創設時のメンバーの一人は、のちに『ロードス島戦記』(角川スニーカー文庫)でヒットを飛ばす水野良《みずのりよう》さんです。また、翻訳家でゲームにも詳しい安田均《やすだひとし》さんに声をかけ、名誉会員になっていただきました。

これが実は、僕の人生の転機になりました。

当時、RPGやゲームブックが日本でもブームになってきて、安田均さんはゲーム関係の原稿を本格的に書くようになってきました。その仕事の一部を〈シンタックス・エラー〉のメンバーの数人が手伝うことになったのです。当時はまだRPGは日本に入ってきたばかり。当然、RPGについての原稿を書ける人なんてほとんどいなかった。それでアマチュアである僕らに仕事が回ってきたわけです。

初仕事は一九八六年の『モンスター・コレクション』（富士見ドラゴンブック）——後で発売された同名のカードゲームとは違うので、混同しないでくださいね。ＲＰＧ風のファンタジー世界に出てくるモンスターについて解説した本で、僕も含めて四人で分担して執筆しました。今、読み直すと、稚拙なところが目立つ内容ですが、それでも自分たちががんばって書いたものが本になるのが嬉しく、誇らしかったものです。

ここで初めて〈グループＳＮＥ〉という名称を用いました。

安田さんは一九七八年にそれまでの勤めを辞め、ＳＦの翻訳の仕事に専念されていました。ところが八〇年代後半からゲーム関係の仕事が忙しくなってきたので、一九八七年、ついに会社を設立されました。会社の名前には、『モンスター・コレクション』で使ったチーム名をそのまま使いました。ゲーム創作集団〈グループＳＮＥ〉の誕生です。僕も安田さんに誘われてバイトを辞め、入社しました。当時は流行のゲームブックを作ったり、ゲーム雑誌に原稿を書いたりしていました。

その〈グループＳＮＥ〉が誕生する少し前から、安田さんがシナリオを書いたパソコンＲＰＧ『ラプラスの魔』（ハミングバードソフト）の制作がスタートしていました。僕はゲームの制作自体にはまったく関与していなかったのですが、ゲームが完成に近づいた八七年後半、安田さんからシナリオとマップを渡され、ノヴェライズを書いてくれと言われました。

実は僕はその時まで、長編小説は一本も書いたことがなかったんです。でも安田さんは僕を信頼してくださいました。というのも、僕が奇想天外ＳＦ新人賞で佳作になったことや、〈ネオ・

ヌル〉や〈星群の会〉で活動していたことを知っていて、僕なら長編が書けると確信したからだそうです。

初めての長編だったので悪戦苦闘しましたが、それでもどうにか書き上げました。長編小説『ラプラスの魔』は一九八八年三月に出版されました。これが実質上、僕のプロ作家としてのデビュー作です。（その前に辰巳《たつみ》出版からゲームブックを出したことはあるんですが）

一九七八年に奇想天外ＳＦ新人賞で佳作になったことが、一〇年経ってようやくプロデビューに結びついたわけです。

〈グループＳＮＥ〉には一〇年以上いました。ＲＰＧのシナリオ、リプレイ、ノヴェライズをずいぶん書きました。それはそれで楽しい仕事だったんですが、僕は作家になるという子供の頃からの夢を、どうしても叶えたかったんです。それで二〇世紀の終わり頃、〈グループＳＮＥ〉を円満退社し、専業作家になりました。

あの時、新人賞に応募していなかったら、佳作になっていなかったら、安田さんに信頼されてノヴェライズをまかされることはなく、僕のプロデビューはもっと遅れていたかもしれません。

Q.〈そうやってデビューしたら、あとは食っていけるんですか？〉

そんな甘いもんじゃありません。

作家は、せっかくデビューしても、後が続かないという例が多いんです。

たとえば講談社のメフィスト賞というのがあります。ここは多くの有名作家を生み出していて、まさに「人気作家の登竜門」という感があります。メフィスト賞を受賞してデビューした作家には、こんな人たちがいます。森博嗣《もりひろし》さん、清涼院《せいりょういん》流水《りゅうすい》さん、蘇部《そぶ》健一《けんいち》さん、乾《いぬい》くるみさん、浦賀《うらが》和宏《かずひろ》さん、新堂《しんどう》冬樹《ふゆき》さん、浅暮《あさぐれ》三文《みつふみ》さん、高田《たかだ》崇史《たかふみ》さん、霧舎《きりしゃ》巧《たくみ》さん、殊能《しゅのう》将之《まさゆき》さん、舞城《まいじょう》王太郎《おうたろう》さん、佐藤《さとう》友哉《ゆうや》さん、西尾《にしお》維新《いしん》さん、辻村《つじむら》深月《みづき》さん、古野《ふるの》まほろさん……。

ええ、人気作家が多いですね。その反面、受賞者リストを見ると、一作きりで終わってしまった人、数冊出して消えてしまった人もいることが分かります。

これは他の新人賞でも同じです。僕が佳作になった奇想天外SF新人賞にしても、第三回まで続き、僕も含めて計一〇人が佳作になっています。その中で、今も現役のプロで、作品を発表し続けているのは、僕と新井素子さん、谷甲州《たにこうしゅう》さん（応募時のペンネームは「甲州」）と牧野修《まきのおさむ》さん（応募時のペンネームは「牧野ねこ」）ぐらい。もう一人、中原涼《なかはらりょう》さんは活躍されたのち、二〇一三年にお亡くなりになりました。つまり奇想天外SF新人賞で佳作に入った人間のうち、作家として生き残っているのは約半数、ということです。

ちなみに先日、数えてみたところ、今の日本には、純文学、ミステリ、ホラー、ファンタジー、児童小説、ライトノベルなどをひっくるめて、**小説の新人賞が一〇〇以上**ありました。ということは毎年、一〇〇人ぐらいの作家がデビューしていることになります。でも、作家の数はそんな勢いで増えてませんよね？　それはつまり、**毎年一〇〇人の新人がデビューする一方で、消えてゆく作家も一〇〇人いる**ということなんです。

特に入れ替わりが激しいのはライトノベルの世界です。毎年一二月に、宝島社が発行している『このライトノベルがすごい！』というムックがあります。その年のライトノベルの人気作品が紹介されており、ランキング上位の作品は多くがアニメ化されています。ライトノベルの人気のすごさがよく分かります。

また、以前は新人賞でデビューした作家の作品を紹介するページもあり、年に六〇人ぐらいがデビューしていることが分かりました。

でも、数年前の『このライトノベルがすごい！』を見ると愕然となります。取り上げられている新人作家のほとんどは、もう消えてしまっているんです。

つまりライトノベル界は、毎年大勢の新人がデビューする一方、大勢が消えていっている。**ほとんどのライトノベル新人作家の作家としての平均寿命は、ほんの数年でしかありません。**

もちろん、一〇年以上も書き続けてヒットを飛ばし、何度もアニメ化されている作家さんもいるんですが、それはライトノベル界全体のごくごく一部。そうした少数の作家がジャンル全体を支えていると言えます。

以前、某ライトノベルレーベルの編集者に訊いたことがあります。

「ああいう消えていく作家というのは、編集部が『もう書かなくていい』と戦力外通告するんですか？　それとも本人が『書けません』と言ってくるんですか？」

編集さんの話によると、戦力外通告というのはめったになく、作家のほうから「もう書けません」と音《ね》を上げる例がほとんどだそうです。書くネタが尽きたのか、書く気力が尽きたのか、それともプレッシャーで書けなくなったか。

僕も覚えがあります。奇想天外ＳＦ新人賞で佳作になった時、「これでいよいよプロ作家になれる！」と舞い上がっちゃったんですね。

そのとたん、ぱったり書けなくなった。スランプです。

原因はプレッシャーです。それも出版社からのプレッシャーではなく、自分自身の内面のプレッシャー。

プロ作家になれるという喜びと同時に、第二作、第三作が受けなかったらどうしようという不安に襲われたんですね。せっかくつかんだチャンスをふいにしてしまうかもしれないという恐怖に苦しみました。

そして、失敗するわけにはいかないというあせりから、完璧主義に陥りました。原稿を一行書くごとに、「この表現はこれで正しいのか」とか「こういう書き方で読者に伝わるのか」とか、いちいち悩んでしまうんです。編集者から注意されたわけではありません。自分で自分を縛《しば》っていたんです。

一日に原稿が一枚進めばいいほうで、何日もぜんぜん進まないということもよくありました。主人公が急いでいる場面で、「……は急いだ」と書くべきか「……は走った」と書くべきか、などと些細なことでひっかかって止まっていました。

そんな執筆ペースではプロとしてやっていけるはずがないんですが、「完璧な作品を書かなくては」と思い詰めるあまり、そんな当たり前のことも分からなくなっていました。

一回だけ、ようやく完成した原稿を〈奇想天外〉に送ったことがあるんですが、ボツにされました。後から思えば、自分でもどこが面白いのかさっぱり分からない話でした。細部にこだわるあまり、「何が面白いのか」という当たり前のことを見失っていたんです。

先に同人誌の原稿は書いていたと言いましたが、同人誌は商業出版よりプレッシャーが少なかったから書けたんです。それでもペースはかなり遅かったですが。

小説の執筆というのは、けっこうノリが重要です。作者のノリは作品の雰囲気に如実に反映されます。自分でも気分が乗ってすらすら書けたくだりや、締め切りに追われて修羅場で書いたくだりが、読み返してみるとけっこう面白かったりします。その逆に、悩みに悩んでなかなか進まなかったくだりは、文章のノリが悪いんですよね。

つまり、**些細なことで悩めば悩むほど、作品はダメになってゆく。**

泥沼ですね。そのスランプが一〇年続きました。

新人賞を取ってプロデビューする時、編集さんが受賞者に必ず注意することがあるそうです。

「仕事は辞《や》めないでください」

そうです。作家に転職するためにそれまでの仕事を辞めるというのは、大きなリスクを伴うんです。作家になっても、それが続けられるかどうか分からない。デビューできたものの、壁にぶつかって、数年で挫折してしまうかもしれないいんですから。

だいたい、作家には退職金なんかありません。老後の保障もありません。スランプに陥って、あるいは才能が枯渇して書けなくなっても、出版社が面倒見てくれるわけじゃないんです。だって、新人は次々にデビューしてくる。非情なようですが、書けなくなった作家は見限って、新しい作家を育てたほうがいいに決まっています。

ですから、たとえ新人賞を取れてデビューできても、他に本業がある場合、とりあえず何年かは二足の草鞋《わらじ》でやってみる。ある程度の水準の作品を安定して発表し続けることができ、人気も出てきて、「これならずっと作家としてやっていけそうだ」という自信がついたら、専業作家になればいいんです。

ちなみに、統計はないですが、今は他に職を持っている兼業作家がかなり多いと聞いたことがあります。ベストセラーを出しておらず、なおかつ年に一冊か二冊しか本を出していない作家は、兼業である可能性が高いでしょう。先にも述べたように、本はたくさん出さないと食っていけませんから。

Q.〈長いことスランプだったそうですが、どうやってスランプから抜け出せたんですか?〉

先にも書いた『ラプラスの魔』のノヴェライズを引き受けたのがきっかけです。それまではアマチュアでしたから、締め切りなんてなかった。完璧を目指して、いくらでも時間がかけられたんです。そのせいでなかなか完成しなかった。

でも、『ラプラスの魔』は仕事でした。何月何日までに書き上げろと、締め切りを切られたんです。そうなると、「完璧を目指す」なんて甘いことは言っていられません。少しぐらい不満足でも、締め切りに間に合わせるために、がむしゃらに書き進めるしかありませんでした。

そうしたら、嘘のようにあっさりとスランプから抜け出せました。

つまり完璧主義が原因だったんです。完璧主義を捨てたとたんに書けるようになった。僕は一〇年かかって得たこの教訓を、胸に刻みつけました。

「小説は完成度一〇〇パーセントを目指したら決して完成しない。完成度九〇パーセントを目指せ」

なぜ一〇〇パーセントを目指したら完成しないのか？　簡単なことです。小説は数学のテストなどと違い、決まった「正解」というものがないんです。正解を模索し、近づくことはできるけど、決して正解には到達しない。だから目指すのは九〇パーセント。

先に「……は急いだ」と書くか「……は走った」と書くか迷ったという話をしましたが、**どっちがいいか分からないということは、どっちでもいいということ**なんです。そんな些細なことで悩んでいる時間があったら、書き進めるべきです。不満な点があったら、書き上がってから直したっていいんですから。

先にも書いたように、近年は出版不況で、本の売れ行きが落ちていますから、出版社はどこも発行部数を絞っています。作家にとっては死活問題です。こういう時代に作家として生き残ってゆくのは、とても大変なことなんです。

僕みたいに三〇年もどうにかこうにか作家を続けてきて、妻や子供を食わせている人間のほうが珍しいでしょう。

作家というのはそれぐらい苦労の多い職業なのだということを、まず理解してください。「あなたも作家になれます」なんて甘言に騙されてはいけません。

作家は、金儲けが目的でなるような職業ではありません。そんな人は早晩、挫折するでしょう。苦労を耐え忍ぶ覚悟がある人、「どうしても作家になりたい！」と思っている人がなる職業なのです。

Q.〈そんなに苦しいのに、何で作家なんてやってるんですか?〉

決まってます。**楽しいからです!**

新しい作品の構想を練るのが楽しい。キャラクターが、世界が、物語が、頭の中で組み上がってゆくのが楽しい。ストーリー展開でさんざん悩んだ末に、いい解決策を思いつき、「これだ!」とガッツポーズをするのが楽しい。物語が佳境に入り、執筆がノッてきて、自分でわくわくしながら書き進めるのが楽しい。長編の最終章の最後の一行を書き終えた瞬間の達成感が楽しい。できあがった本を手に取るのが楽しい。新聞や雑誌に載った好意的な書評を読むのが楽しい。印税が入ってくるのも、もちろん楽しい。サイン会で多くの読者にサインするのが楽しい。「面白かったです」「これからも期待してます」と言われるのが楽しい……。

そして何より、創作という行為全体が楽しい。

そうした楽しさがあるから、苦しさなんか乗り越えて作家をやっていけるんです。

まあ、贅沢を言うなら、もうちょっと売れてほしいですけどね(笑)。

■小説家は錬金術師

Q.「小説を書くのにどんな経験をすればいいでしょう?」

小説を書くのに必要な経験というものはありません。どんな経験でもやっておけば、必ず何か小説の役に立ちます。

たとえば僕の場合、先にも書いた二〇代のアマチュア時代、フリーターをやっていた経験が、異世界ファンタジー小説〈サーラの冒険〉シリーズ(富士見ファンタジア文庫)に反映されています。冒険者になりたくて、故郷の村を飛び出した少年サーラは、冒険者としてのスキルを磨くために、半地下都市ザーンの盗賊ギルドで地道な修業を重ねながら、冒険者の店〈月の坂道〉で皿洗いなどのアルバイトをします。いつかヒーローになる日を夢見てアルバイトをするサーラに、作家になることを夢見てフリーターを続けていた僕自身の思いを重ね合わせていました。

高校生が主人公の〈BISビブリオバトル部〉シリーズ(創元SF文庫)にも、僕の高校時代の思い出がいろいろ反映されています。特に第一作『翼を持つ少女』の冒頭、ヒロインでSFファンの伏木空《ふしきそら》が、同級生の埋火武人《うずみびたけと》の家で、彼の祖父が残した大量のSFコレクションを発見して驚喜するくだりは、僕がSFファンの友人の家に行って、彼が集めていた大量のSFを目にした時の感動を再現したものです。こうした体験がすべて僕の小説の糧《かて》になっています。

糧になるのは、良い経験でなくてもかまいません。つらい経験、失敗の経験もです。

僕は小学校、中学校、高校と、ずっといじめられていた体験があります。ですから僕の書く小説に出てくる若者には、いじめ体験者が多いです。〈ＢＩＳビブリオバトル部〉の空もそうですが、〈サーラの冒険〉のサーラ、『僕の光輝く世界』（講談社文庫）の光輝《こうき》、『神は沈黙せず』の優《ゆう》歌《か》、『夏葉《なつは》と宇宙へ三週間』（岩崎書店）の夏葉、「審判の日」（『闇が落ちる前に、もう一度』（角川文庫）に収録）の悟《さとる》、「宇宙をぼくの手の上に」（『アイの物語』（角川文庫）に収録）の祐一郎《ゆういちろう》『プロジェクトぴあの』（ハヤカワ文庫ＪＡ）のすばる……きりがないですね。どうしても一〇代の人物を出すと、一〇代の頃の自分を重ね合わせたくなっちゃうんです。

だから何でも小説のネタになります。どんなつらい体験でも小説家は乗り越えられる。

小説家というのは一種の錬金術師だと思います。どんなつらい過去であっても金《かね》に換えちゃうんですから！

小説を書きはじめる前に

■まず自分のための小説を書こう

シャーリン・マクラム『暗黒太陽の浮気娘』（ミステリアス・プレス文庫）という小説がありま す。ＳＦ大会で起きた殺人事件を描いたユーモア・ミステリなのですが、その中で、主人公の作家ジェイ・オメガが、ファンから質問を受けるシーンがあります。


こざっぱりした背広姿の青年が立ち上がった。「ぼくは作家になることに関心を持っています」と経営学専攻の人間の慇懃無礼を匂わせた。「自宅に執筆用のオフィスを持つ、ということについて質問があります。客用寝室と兼用できないのはわかっていますが、コンピュータとオフィス用家具の購入費は初年度でまるごと落とせるのか、それとも数年にわたって少しずつ落としていかなきゃならないのか、それがわかりません。あと、設備の減価償却分は買った年から控除し始めていいんでしょうか？」

（中略）

「どんなものを書いているんですか？」ジェイ・オメガは青年に尋ねた。

「まだ何も書いてません」というのが返事だった。「書けることはわかってますが、プロになる前に、事業面の問題を整理しておきたいと思って」（浅羽《あさば》莢子《さやこ》訳）

何の根拠もなく、自分は作家になれると思っているこの青年にどう答えればいいか、考えた末に、オメガはこう言います。

「プロの作家になるのは娼婦になるのと同じでね。ちゃんとできるかどうか、まずやってみることです。金を取るのはそれから」

冗談のように思えるかもしれませんが、実はこの会話、けっこうリアルなんです。創作教室の講師をやっている人から聞いたのですが、受講者の中には、この青年のように、小説を書いたことが一度もないのに「自分は小説が書ける」「プロになれる」と根拠もなく思いこんでいる人が、ちょくちょくいるのだそうです。創作教室を受講しているのは、小説を書くコツをちょっと教えてもらうためで、いくつかのコツさえ知れば、すぐ作家になれると勘違いしている。

前に、「ライトノベル作家なんか簡単になれる」と思っている人たちの話をしましたが、どうもそういう錯覚を抱いている人って、けっこういるらしいんです。

他にも『暗黒太陽の浮気娘』の中には、オメガと恋人のマリオンがSF短編小説コンテストの審査員になり、アマチュアの書いた作品を読むシーンがあります。いかにも素人《しろうと》の書きそうなひどいSF小説（三〇〇〇年後の未来世界なのに、郵便で小切手が届く！）が、妙にリアリティがあります。作者のマクラムは、もしかしたら創作教室の講師をやった経験があって、こういう人を何人も見てきたんじゃないかと思えます。

たとえば、料理を作ったことが一度もない人が、「プロの料理人になれる」と思うことは、まずないはずです。ピアノに一度も触ったことがない人が「ピアニストになれる」とは思わないでしょうし、ボールを蹴ったことがない人が「サッカー選手になれる」と思うことも、絵を描いたことがない人が「マンガ家になれる」と思うこともないでしょう。そう考えると、未経験者の「なれる」という根拠のない自信は、ほとんど作家という職業にのみ存在する錯覚のように思えます。

なぜ試してもいないのに「小説が書ける」と思うのか？　おそらくそうした人たちも、文章を書いた経験はあるはずです。学校や会社でレポートを書いたり、ブログを書いたり、ツイッターでつぶやいたりしている。それで「俺は文章が書けるから小説も書けるはず」と思いこんでしまうんでしょうね。

実際には、小説を書くスキルというのは、レポートやブログを書くスキルとは根本的に違います。音楽にたとえるなら、「俺はカラオケで歌が歌えるから、ピアノだって弾ける」と思いこむようなものです。

オメガの言う通り、自分に小説が書けるかどうか、まずはやってみることです。書いてみれば、小説を書くことの難しさや、あなたの小説の欠点が見えてくるはずです。

Q.〈書けと言われても、いきなり何の経験もなしに小説を書くのが、まず難しいんですけど?〉

すかさずそうツッコんできたあなた、途中の段階をすっ飛ばして、最初からプロと同じレベルの小説を書こうと思っていませんか？

アマチュアがいきなりプロの料理人として通用するような料理を作るなんて無理です。何事もそうですが、経験を重ねることによってスキルは上がっていくんですから。小説も同じです。まずは卵焼きやハンバーグあたりから作ってみないと。

まあ、中にはごくたまに、処女作でいきなり傑作を書いてしまう人も、いることはいます。でも、それは何百万人に一人という大天才だからです。僕らのような凡人にはまねできるものじゃありません。最初は簡単な料理からはじめて、地道にスキルを上げてゆくしかないのです。

ひと口に料理と言っても、大別して三種類あります。

料理①：自分で作って自分で食べる料理。
料理②：家族や恋人、友人など、親しい人のために作る料理。
料理③：お店でお客様にお出しする料理。

この三種類の料理がまったく別物であることは分かりますよね？

いちばん高いハードルを要求されるのは、もちろん料理③です。お金をいただく以上、お客様を満足させなくてはいけませんから、常に一定以上の水準を保つ必要があります。単に美味しいだけではだめで、見映《みば》えまで考慮して盛りつけなくてはいけません。ライバル店と差をつけるためには、他のお店にないような特色も工夫しなくてはならないでしょう。時には料理評論家のきびしい批評にさらされることもあるでしょう。

料理②には、そこまできびしい縛りはありません。ちょっとぐらい失敗しても、（よほどひどい味でないかぎり）あなたの家族や恋人は許してくれるはずです。それでもあなたは、好きな人に喜んでもらおうと、腕をふるって美味しい料理を作ろうとするはずです。

そして料理①。自分一人のために家で作る料理ですね。これがいちばん気楽です。盛りつけなんか気にしなくていい。残り物をぶちこんで、適当に作ればいい。たとえ失敗して不味い料理ができても、誰も文句は言いません。だから思いきり自由に作れます。

同様に、小説にも次の三種類があります。

小説①：自分で書いて自分だけが読む小説。
小説②：家族や恋人、友人など、親しい人のために書く小説。
小説③：不特定多数の読者に読んでいただく小説。

多くの人が「小説」と聞いて思い浮かべるのは小説③でしょう。商業出版物ではなく同人誌やネット小説であっても、見知らぬ大勢の方に読んでいただく以上、③のカテゴリーに含めていいかと思います。

でも、③だけが小説ではありません。あまり知られてはいませんが、小説①や小説②もあるのです。

近年の日本で有名になった小説②は、草彅剛《くさなぎつよし》さん主演で映画にもなった、SF作家の眉村卓《まゆむらたく》さんのエピソードです。

眉村さんは、癌《がん》で余命一年と宣告された奥さんのために、少しでも楽しんでもらおうと、毎日、一編ずつショートショートを書き続けました。奥さんはそれから五年生き永らえ、眉村さんが書いたショートショートは一七七八編に達しました。そのうち五二編がセレクトされ、今では『僕と妻の1778話』(集英社文庫)という本にまとめられています。興味がおありの方は読んでみてください。

世界で最も有名な小説②は、間違いなく、ルイス・キャロルの『不思議の国のアリス』です。キャロルは本名をチャールズ・ラトウィッジ・ドジソンという数学者です。一八六二年の夏、親しくしていたリデル家の三姉妹とピクニックに出かけた彼は、次女のアリスを主人公にしたお話を即興で語って聞かせました。それを気に入ったアリスが、お話を書き留めてくれとせがんだので、ドジソンは『地下の国のアリス』という題で手書きの本にまとめ、アリスにプレゼントしました。後になってそれを書き直して出版したのが『不思議の国のアリス』なのです。

実は僕も、『不思議の国のアリス』のような経緯で書いた小説があります。娘がまだ小学校一年生の頃、寝る前によく童話の本を読んでやっていました。ところがある時、「パパの書いたお話が聞きたい」とせがまれました。嬉しい話です。

とは言っても、〈妖魔夜行〉シリーズ(角川スニーカー文庫)や〈ギャラクシー・トリッパー美葉〉シリーズ(同)あたりは、教育上よろしくない場面が多い。いろいろ考えて、〈サーラの冒険〉シリーズの二巻あたりまでなら支障なかろうと、第一作『ヒーローになりたい！』を読み聞かせはじめました。

　ところが、五章目あたりまで進んだところで、娘は言いました。

「パパ、『サーラ』面白くない！」

　これにはカチンときました（笑）。まあ確かに、〈サーラの冒険〉は中学生か高校生あたりの読者を想定して書いてましたからね。小学校低学年ではまだ難しい部分が多かったでしょうし、展開もライトノベルとしてはやや地味です。なかなか派手なシーンにならないので退屈だったのでしょう。そこで、「だったら、お前が面白いと思うお話を書いてやる！」と宣言しました。

　こうして書きはじめたのが、〈C＆Y　地球最強姉妹キャンディ〉のシリーズです。子供が面白がるものにしようと、とにかくスピーディで、理屈抜きで奇想天外、アクション満載の話を心がけました。

　第一章を読み聞かせると、娘はたちまち夢中。「パパ、続き書いて！」とせがまれ、それから週に一章のペースで話を書き続け、ベッドの脇で読み上げました。

　数年後、かなり書き直したうえで、KADOKAWAの〈カドカワ銀のさじ〉というレーベルから出版が決まります。今では娘はすっかり大人になって、もう寝る前の読み聞かせも必要ないのですが、僕は〈キャンディ〉に愛着があるので、これからも書き続けようと思っています。

　とりあえず小説②のことは脇に置いておきましょう。注目していただきたいのは小説①です。自分で書いて自分だけが読む小説――そういうものを書いている人は、プロでもアマチュアでも大勢いるだろうと、僕はにらんでいます。ですが、どれぐらい多いかは分かりません。みんなそれを表に出しませんから。

少なくとも僕は、小説①をたくさん書いてきました。

小説は小学校の頃から書いていたという話をしました。はて、いつ頃から書きはじめたんだっけ……と疑問に思い、調べてみたら、どうやら七歳の時らしいと判明しました。

当時、年の離れた兄が、小学館の〈ボーイズライフ〉という雑誌を買っていて、僕もちょくちょく読ませてもらっていました。同じ小学館の〈少年サンデー〉よりもやや上の年齢層を狙った雑誌で、マンガ以外にも実話記事、SF小説、冒険小説などもいろいろ載っていました。

その〈ボーイズライフ〉に掲載された小説のひとつが、一九六三年九月号のリチャード・フォスター「最後の乗客」というSFでした。舞台はニューヨーク。核戦争が起きて地上が壊滅し、地下鉄の駅に避難した人たちだけが生き残ります。主人公たちは放射能で汚染された地上を避け、地下鉄のトンネルを通って郊外に脱出してゆく……という話でした。

今となっては動機がよく分からないのですが、僕はその小説を便箋に書き写しはじめました。子供のごっこ遊びで、作家の気分を味わいたかったのかもしれません。が、三枚目まで書いて飽きました。他人の小説を書き写すだけでは物足りない。自分の小説を書きたくなったのです。

次に書いたのはオリジナルの話で、主人公は月着陸を目指す宇宙飛行士でした。しかし、冒頭、主人公の乗ったロケットが打ち上げられ、宇宙に飛び出すシーンを書いたところで、いきなり挫折しました。「主人公は宇宙飛行士」という設定だけで、その先の展開を何も考えていなかったからです。それからは小説を書きはじめる前に、全体の構想というものを考えるようになりました。

ノートにいろいろな小説を書きました。当時の少年ですから、もちろん怪獣ものも何本も書きました。悪の組織が昆虫を巨大化させて街で暴れさせる話とか、鈴鹿山脈に掘られていたトンネルが中生代につながってしまい、恐竜がこっちの世界にぞろぞろ出てくる話とか。

後者はおそらく、一九六六年に放送された『ウルトラQ』第一話の「ゴメスを倒せ！」がヒントでしょう。同年の『マグマ大使』に音波怪獣フレニックスが登場したら、即座に音波を吸収する怪獣を出したりしました。

考えてみると、今でも『ＭＭ９』（創元ＳＦ文庫）とかを書いてるわけですから、やってることはあまり変わりませんね（笑）。

怪獣ものだけじゃありません。スパイ・ブームが起こり、『スパイキャッチャーＪ３』（一九六五年）や『０011ナポレオン・ソロ』（一九六四～六八年）といった番組がテレビで放映されるようになると、すぐにスパイものを書きました。『ウルトラマン』の後番組で『キャプテンウルトラ』（一九六七年）がはじまったら、即座にスペースオペラを、『渚にて』や『世界大戦争』といった核戦争ものの映画がテレビで放映されたら、すぐに核戦争ものを……いやはや、節操がないですね（笑）。

中学に入ると、三〇年後、つまり西暦二〇〇〇年頃の未来世界を舞台にしたシリーズを書いていました。やっぱりＮＨＫの人形劇『空中都市００８』あたりの影響だろうと思います。このシリーズのことは、長編『去年はいい年になるだろう』（ＰＨＰ文庫）の第一章で触れています。これはかなり長く続いて、確か大学ノート七冊分になったことを覚えています。（実家に置いてお

いたら、家族に勝手に処分されてしまったので、今は残っていません）

　このシリーズも当然、いろんなテレビ番組に影響されていました。たとえば『アウター・リミッツ』の再放送で、宇宙から来た意志を持つ放射性元素が原子炉を暴走させる「大爆発」というエピソードを見たら、これまた即座に、中性子をエネルギー源とする宇宙細菌が原子炉を暴走させる話を書いていました。

　僕はそれらを、ほとんど他人に見せませんでした。最初の頃は兄や姉に見せていたのですが、「ストーリーがめちゃくちゃ」などと酷評されて、だんだん見せなくなっていったんです。

　実際、思い出してみても、それらの小説はかなりひどい代物でした。途中で書く意欲が失せて、いきなり話を終わらせることはしょっちゅうでした。強そうな悪役が急に死んだり、戦いにいきなり決着がついたり。話のつじつまが合っていないこともよくありました。キャラクターの心理描写なんかも皆無で、話のラストで、何の伏線もなしに、男女が「結婚しよう」「ええ、いいわ」と言い出したりしてました。

　それでもよかったんです。完成度なんか気にしませんでした。僕は他人に褒められるために書いていたんじゃありません。純粋にお話を書くのが楽しくて書いていただけなんですから。

　高校生になると、本格的にプロを目指すようになり、それまでノートに鉛筆で書いていたのを、原稿用紙に万年筆で書くようになりました。他人に読まれることを意識した小説——小説①から小説③への脱皮を目指したんですね。

　その後のことは、先に書いた通りです。

　実はプロになった今でも、本来の仕事の原稿の他に、小説①もこっそり書き続けています。純枠に僕自身の楽しみのために書いているので、人に見せようとは思いません。他人の目を気にしないので、設定やストーリーがでたらめでも、キャラクター描写がいいかげんでも、公序良俗に反するような内容でも、いっこうにかまわないんです。もちろん締め切りもありません。結末を思いつかず、途中で投げ出すこともよくあります。何年もしてから続きを書くことも。

ごくまれに、そうした小説①を書き直して発表することもあります。同人誌で出した〈チャリス・イン・ハザード〉というシリーズなんかがそれですね。アフリカの大自然で育ったチャリスという女の子が、毎回、悪人に捕まってひどい目に遭うけど、すごく公序良俗に反する体験を経て逆襲に転じ、最後は悪人たちを盛大にぶち殺すストーリー。いやー、個人的にはめちゃくちゃに気に入ってるんですが（笑）。

あと、『怪獣文藝の逆襲』（角川書店）というアンソロジーのために書いた「廃都の怪神」という短編も、実は小説①だったのを書き直したものです。

しかし、大半の小説①は誰にも見せません。小説の体《てい》を成していないからです。でも、「読者に読んでもらう」とか「出版社に売りこむ」とかいう制約がないからこそ、好きなことを自由に書けます。

ですから、あなたもまず、小説③ではなく小説①を書いてみてはどうでしょうか？　誰にも見せず、自分だけが楽しむ小説。締め切りもなく、枚数の制限もない。完結させる必要はないし、つじつまが合わなくてもかまわない。誰にも褒めてもらえないけれど、出来が悪くても誰にも笑われない。思うまま、自由に書いていい小説……素敵だと思いませんか？

Q.〈誰にも褒めてもらえないのなら、何のために書くのですか?〉

小説①を書くことには、こんなメリットがあります。

・小説を書くことの難しさを知る。
・小説を書くことの楽しさを知る。

実際に小説を書いてみると、いろいろな問題にぶつかります。

アイデアが思い浮かばない。あるいは、思い浮かんでも、それをどんな話にすればいいか分からない。

途中まで書いたけど、展開に詰まってしまった。どう決着をつけていいか分からない。

キャラクターに魅力がない。どんな風に喋らせていいか分からない。

このシーンをどんな風に描写していいか分からない。

最初は分からないことだらけのはずです。そうした問題にぶつかっても、がっかりすることはありません。それらの問題点を克服する方法は、これからひとつずつお話ししていきます。まずはぶつかってみて、その難しさを実感することが大切です。

また、小説を書くことの楽しさを知ることも大切です。それは小説が上達するための最初のステップです。「好きこそものの上手なれ」という言葉がありますが、好きだからこそ熱中できて、経験を重ねられ、上達できるんです。

■『イルカの惑星』方式

Q.〈自由に書いていいと言われても、いったい何を書けばいいのか分かりません〉

ほらほら、あなたはまだ小説③的な制約にこだわっていますね? 作品として、ちゃんと完成された内容でないといけないと思っていませんか?

その常識を、まず捨ててください。


一九七〇年代の日本のテレビでは、深夜の時間帯によく昔の劇場映画を放映していました。特に洋画は日本未公開のものが多く、ある意味、宝の山でした。とはいうものの、当時はテレビガイドもインターネットもなく、新聞のテレビ欄の下のほうに載る一行のタイトルだけが頼りで、内容なんかまったく分かりません。僕は毎日、テレビ欄をチェックし、面白そうだと思うタイトルを見つけては観ていました。

特に僕がよく観たのは、一九五〇年代から六〇年代のB級SF映画やホラーです。『冷凍凶獣の惨殺』『顔のない悪魔』『原始怪人対未来怪人』『幻の惑星』『恐怖の火星探検』『恐怖の島』『ギャラクシー・オブ・テラー　恐怖の惑星』……今でこそネットで検索すれば一発で内容が分かりますが、当時は本当に何も分からない。タイトルだけ見て、「これは面白いかも？」と目星をつけて観るわけです。

当然、ひどいものが多かったです。特撮がお粗末だったり、ストーリーがめちゃくちゃだったり。でも、中にはごくまれに掘り出しものがあって、得した気分になれました。

一九七三年、第一次オイルショックが日本を襲いました。原油価格の高騰によるインフレは、多くの産業を直撃しました。テレビ界も例外ではなく、省エネの影響で放送時間が短縮され、一時期、深夜映画がまったく放送されなくなりました。

この時代に書かれたのが、豊田《とよた》有恒《ありつね》さんの「イルカの惑星」（『イルカの惑星』〔角川文庫〕に収録）というショートショートです。

冒頭、深夜映画マニアの男女が、スナックに集まって嘆いています。みんな深夜映画を観てから寝ることを日課にしていたので、楽しみを奪われたうえ、生活リズムが狂い、意気消沈していたのです。

ところが武田《たけだ》という男だけが平然としています。彼はテレビで映画を観られなくなった代わりに、架空の深夜映画を空想して楽しんでいたのです。設定を決め、キャストを決め、画面を想像するのです。「イマジネーションの世界だから、映倫カットはなしにして、そのものずばり、ファック・シーンとくる。ひっひっひ」と。

そういう手があったのかと主人公は感心し、その晩、さっそく実践してみます。ノイズしか映らなくなったテレビを前に、架空の映画を思い浮かべるのです。もちろん空想ですから、出演者も思いのままです。

タイトル・バックに、電子音楽がながれ、青い神秘的な宇宙に、星々がきらめいている。そこに一枚タイトルで、ゲイリー・クーパー、チャールズ・ブロンソン、スティーヴ・マックィーン、アラン・ドロンという主演者のネームが出て、イン「豚の惑星」——いや、これはちょっとまずい。豚では、たとえパロディでも、しまらなくなってしまう。そうだ、「イルカの惑星」にしよう。

ザ・プラネット・オブ・ザ・ドーフィンズというタイトルがでる。それから、コ・スターリングとして、リー・テイラー・ヤング。ついでに日本人としては、おれのひいきの安西マリアをだすことにして、イントロデューシング、マリア・アンザイという、クレジット・タイトルをだした。（後略）

こうして主人公は、『イルカの惑星』というB級SF映画を、想像の中で創り上げていきます。氷漬けになった原子力潜水艦の乗員たちが、未来世界で目覚め、高い知性を持ったイルカたちが人類を支配していることを知るというストーリーです。

この話を紹介したのは、これこそまさに小説の創作法そのものだと思うからです。

小説創作は孤独な作業だと、前に書きました。それは言い換えれば、「一人で何でも創ってしまえる」ということなのです。**キャストは自由、予算は無限大、特撮は使いたい放題。**何万人もの兵士がぶつかる合戦シーンも、壮大なスケールの歴史ドラマも、大宇宙を舞台にした冒険も、地球の滅亡も、自由に描けてしまうのです。基本的に一人の作者と、執筆するためのパソコン一台で。

すごいと思いませんか？

さらに「イルカの惑星」という作品が秀逸なのは、主人公が空想する『イルカの惑星』という映画が、明らかに『猿の惑星』の二番煎じだということです。オリジナリティがない？　それはそうです。いきなり素人がオリジナリティにあふれた話を創れるわけがありません。

僕が子供の頃に書いていた小説もそうでした。テレビ番組や、テレビで観た映画、少年誌に掲載されていたマンガ、学校の図書室で読んだ児童向けの小説などに、すぐ影響されて、まねをしていました。オリジナリティなんてまったくありませんでした。

作家にはオリジナリティが必要です。自分のオリジナリティ――「山本弘らしさ」というものを意識しはじめたのは高校の頃からです。でも、どういう作品が自分らしいのかがなかなか分からず、悪戦苦闘しました。ようやく「山本弘らしい」と思える小説が書けるようになったと確信できたのは、処女長編の『ラプラスの魔』あたりからです。

あなたがこれから書こうとしているのは、小説①であることを思い出してください。あなた以外の誰も読まない小説です。だからとりあえず、評判だとか著作権だとか完成度とかは気にしなくていいんです。オリジナリティがなくても、どこかで見たような話であってもかまいません。「パクリだ」と非難する人はいないんですから。あなた自身が楽しめればいいんです。

どうしても話やキャラクターを思いつかないなら、いっそ既成の作品の設定を借りて書くというのはどうでしょう？　いわゆる二次創作というやつですね。原作で描かれていないシーンや展開を想像し、「もしあそこでこういう展開になっていたら」とか「このキャラクターならこういう場面でどう言うだろうか」などと考えながら書くのです。それなら話を一から考えるより楽でしょう。

もちろん二次創作作品は安易に商業出版できません（同人誌ぐらいなら出せますけど）。でも、書く楽しみを味わいながら、書くことの苦しみも体験できるわけですから、創作の修業になると思います。

繰り返しますが、まずやってみることです。オリジナリティを考えるのはその後からでかまいません。

■読書は料理のスパイス

Q.〈作家になるためには、たくさん本を読まなくてはいけないと聞きました。どれぐらいの本を読めばいいのでしょう？〉

それは意味がない質問です。

なぜなら、小説を書きたい、作家になりたいと思っているあなたは、小説が好きで、すでに平均的な人よりたくさん本を読んでいるはずだからです。

逆に言うと、普段から小説を読まない人、小説があまり好きではない人は、作家を目指さないほうがいいかもしれません。作家というのは好きだからこそやれる職業だからです。好きでもないのに続けるのはつらいですよ。

作家にとって、本を読むことの最大の利点は、**他人の人生を体験できる**ことだと思います。小説を書くのに人生経験が必要なのは、言うまでもありません。できるだけ多くの経験をしていれば、それだけ創作に役立ちます。

でも、一人の人間が経験できることなんて、地球上に存在する何十億人もの人生の、ごくごく一部にすぎません。実体験だけを元に書ける内容なんて限られています。

それに、体験しようにもできないことも多いですよね。戦国時代の武士になることも、未来世界のアンドロイドになることも、ファンタジー世界の剣士や魔法使いになることも、誰にもできません。現実にこの世界に存在する職業であっても、体験するのが難しいものもたくさんあります。宇宙飛行士とか傭兵とかオリンピック選手とか殺し屋とか。あるいは殺人鬼に襲われる被害者の心理とかも、実体験できないし、できるとしてもやりたくないですね。

あるいは男性なら女性の人生、女性なら男性の人生は実体験できません（性転換手術でもしない限りは）。若い人が老人の人生を体験することもできません。

じゃあ、男性の作者は女性を（女性の作者は男性を）主人公にした小説を書けないんでしょうか？

そんなことはありません。自分では異性になれなくても、異性の書いたノンフィクションや異性を主人公にしたフィクションをたくさん読めば、ある程度までは異性の心理を理解できるはずです。

宇宙飛行士や傭兵だって、自分の体験を本にしている人がいますから、それらを読めば参考になるでしょう。ファンタジー世界の剣士や魔法使いの体験だって、小説で読めばいいんです。

Q.〈でも、ファンタジー世界の魔法使いの話なんて、「実体験」じゃないじゃないですか。作者が空想したものにすぎないんでしょ?〉

もちろんです。本を読んで得られるのは、あくまで疑似体験です。

疑似体験のベースになるものは、事実であろうとなかろうと関係ありません。よくできた架空の体験談は、実在する人間の体験談と同じぐらい価値があります。大事なのはリアルであること——自分以外の誰かの人生を「確かにこの人物は実在する」と思えるほどリアルに感じ、自分自身の体験であるかのように身近に感じながら読むことです。

本を読むことで、自分以外の人の人生、時にはこの世に存在しない人の人生も体験できます。本をたくさん読んで、疑似体験を積み重ねることが、創作の肥やしになるんです。

その逆に、ノンフィクションであっても、内容にリアリティがなければ参考になりません。

実は『サイバーナイト　ドキュメント戦士たちの肖像』(角川スニーカー文庫)を書く前、主人公たちが傭兵なので、その参考にしようと、落合信彦《おちあいのぶひこ》さんの『傭兵部隊』(集英社文庫)を読みました。一読して、「こんな本は参考にしちゃいけない」と思いました。あまりに現実にそぐわない記述だらけだったんです。

その後、落合信彦さんの著作(もちろん『傭兵部隊』も含む)の事実と異なる記述がボロボロ明るみに出て、「やっぱりあの時の僕の印象は正しかったのか」と思ったものです。

Q.〈それは本でなくてもいいんじゃないですか？　ドラマや映画やマンガじゃいけないんでしょうか？〉

もちろん、ドラマなどでも他人の人生を描くことはできます。

ただ、映像作品の場合、人生を見つめるその視点は、キャラクターの外側にあります。外から俳優の外見や行動を眺めているだけなんですね。そのキャラクターがどんな心理でいるかは、本人の表情や周囲の状況などから、間接的に知ることしかできません。

それに対し小説は、キャラクターの内側から、その心理をストレートに描けるという利点があります。特に一人称の小説の場合、読者は主人公の視点で作品世界を見ながら、彼（または彼女）が考えていることを知ります。つまりキャラクターと一体化できる。

だから疑似体験としての価値だけ見れば、映画やアニメやマンガよりも、小説のほうが優れていると思います。（もちろん、映画やアニメやマンガにも、小説より優れている要素がいっぱいあるわけですが）

本を読むことの利点は他にもあります。アメリカＳＦ作家協会編『ＳＦの書き方』（講談社）という本の中で、ＳＦ作家のガードナー・ドゾアがこう言っています。

成功をもっと確かなものにするために、なすべきことがいくつかある。第一に、そしておそらく最も重要なことは――もしあなたがＳＦを書くつもりなら、**お願いだから、ＳＦを読んでほしい**。現在の作品の水準はどうか、雑誌や作品集にどんな作品が採用されているかを知ってほしい。ＳＦを読むことのもう一つの利点は、売れる作家になるための修業中の時間や苦しみを大幅に省いてくれるということである。どうしてそうなるのか？ なぜならそうすることで前よりいろいろなことがわかってくる――これは使い古されたきまり文句だというようなことを、前もって知ることができるからだ。そして何よりも、もしＳＦを読んで面白くないようなら、それを書くのは時間の無駄というものである。（小木曽《おぎそ》絢子《あやこ》訳／強調は原文ママ）

これはＳＦだけではなく、他のどんなジャンルの小説にも当てはまるアドバイスだと思います。たとえばミステリ。あなたが思いついた犯罪のトリックは、はたして画期的なものなのでしょうか、それともミステリ界ではとっくに使い古されたものなのでしょうか？ それを知るためには、たくさんのミステリを読むしかありません。もちろん、全世界のすべてのミステリのトリックを知ることは不可能ですが、ミステリに精通すれば、自分の思いついたトリックがどれぐらい新しいか、判断できるようになるでしょう。

もうひとつ、本を読むことには、「引き出しを増やす」という効果があります。料理にたとえるなら、ストックしておく素材や調味料を増やすということです。

たとえば、僕が『アイの物語』という本を書いた時のこと。最初、この本は、それまで雑誌などにばらばらに書いた短編を集めて、普通のＳＦ短編集にするつもりでした。ところが、収録する予定の作品を並べてみると、いずれも女性の一人称で、人工知能や仮想現実を題材にした話という共通点があることに気づいたんです。

「これって、うまくまとめれば、一本の長編になるのでは？」

その時に僕が連想したのは、レイ・ブラッドベリの『火星年代記』（ハヤカワ文庫ＳＦ）でした。一九四〇年代、ブラッドベリは火星を舞台にした短編をいくつものＳＦ雑誌に発表していたのですが、それを年代順に並べ、間を短い話でつないで、一本のオムニバス長編にしたのです。あの方法が使えないか？

ところが構想を練りはじめてすぐ、『火星年代記』と同じことをやるのは無理があると気づきました。作中に出てくる未来のテクノロジーが、うまく一本の歴史の上に並ばない。どうしても矛盾が生じてしまうんです。

どうすればいいんだろう……と考えているうち、ふと思いつきました。

「『火星年代記』じゃなく『刺青《いれずみ》の男』にすればいいんだ！」

『刺青の男』（ハヤカワ文庫ＳＦ）は、やはりブラッドベリの短編集。全身にたくさんの刺青をした奇妙な男が登場します。語り手が彼の刺青を見つめていると、それが動き出し、様々な物語を心に語りかけてくる……という設定です。

もちろん、刺青をした男を出したら、ブラッドベリのまねになってしまいます。そこで、男ではなく美少女、それもアンドロイドにしようと思いつきました。

すぐにファースト・シーンが思い浮かびました。今から数百年後、文明が崩壊した後の世界で、少年が戦闘用の美少女アンドロイドと出会う。アンドロイドは少年に、様々な物語を語って聞かせる……。

当然、その時点では、「なぜ戦闘用のアンドロイドが美少女の姿をしているのか」「なぜ少年に物語を語るのか」という理由は、まだ考えていませんでした。しかし、後づけで理由を考えてゆくうちに、だんだんつじつまが合っていって、全体の構成ができていきました。その構想に合わせて短編を並べ、最後に話をまとめるために二本の中編を書き下ろすと……。

なんと、見事に一本の長編になったのです！

『アイの物語』の構成は、自分でも奇跡のような偶然の産物だと思っています。幸い、多くの方に支持していただき、第二七回日本ＳＦ大賞、および第二八回吉川英治文学新人賞にノミネートされただけでなく、『ＳＦが読みたい！』二〇〇七年版国内編第二位になるという栄誉を得ました。

ここで注意していただきたいのは、僕が『火星年代記』と『刺青の男』を知っていたからこそ、それをヒントにして『アイの物語』の構成を思いつけたということです。

これがつまり、「引き出しを増やす」ということです。頭の中にストックしておいて、いざという時にひっぱり出して、創作に応用できる素材のことです。

たとえばストーリーの展開に詰まった時など、過去に読んだ作品のことを思い出してみるといいでしょう。「あの小説の主人公はどうやってトラブルを切り抜けていたっけ」とか「あの小説のアイデアが応用できないかな」などと考えてみるんです。そうすれば、いい解決法が見つかるかもしれません。

もちろん、引き出しとして使えるのは小説だけじゃありません。映画、ドラマ、マンガ、アニメ、ノンフィクション、ニュース……ありとあらゆるものが引き出しになります。

Q.〈でも、他の人の考えたアイデアを使ったら盗作じゃないんですか?〉

いいえ、違います。

まず、あなたが書くのが小説①であれば、つまり他の誰にも見せず、もちろん商業出版して儲ける気もないのであれば、著作権法に違反していても何の問題もありません。小説③の場合でも、アイデアを借りるだけであれば盗作にはなりません。

たとえばH・G・ウェルズの『タイム・マシン』について考えてみましょう。ウェルズ以降、多くのSF作家が作中にタイムマシンを登場させています。彼らはみんなウェルズから盗作してるんでしょうか?

そもそもタイムマシンというアイデアを最初に小説で使ったのはウェルズではありません。スペインの作家エンリケ・ガスパール・イ・リンバウの『アナクロノペテー』(未訳)が最初とされています。ウェルズがこの小説のことを知っていたかどうかは分かりません。しかし、『アナクロノペテー』はマシンで過去に行く話なのに対し、ウェルズの『タイム・マシン』は遠い未来に行く話。ぜんぜん似ていないんですね。

同じアイデアを使っていても、ストーリーが違っていれば、それは別の話なんです。『アイの物語』は『刺青の男』からヒントを得ましたが、読み比べてみればまったく違う話であることが誰でも分かります。だから盗作じゃないんです。

ちなみに『アイの物語』に収録された短編「ミラー・ガール」も、ブラッドベリがヒントです。ブラッドベリの短編「歌おう、感電するほどの喜びを！」（『歌おう、感電するほどの喜びを！』〈ハヤカワ文庫ＳＦ〉に収録）に感銘を受けたのがきっかけでした。

「歌おう、感電するほどの喜びを！」は、母親を亡くした子供たちのために、父親がベビーシッターとしてロボットのお婆さんを雇うという話です。もともと一九六〇年代のＴＶシリーズ『ミステリー・ゾーン』のためにブラッドベリが書いた脚本なのですが、彼はのちに、それを自分で小説にしたのです。

一九六〇年代に書かれた話ですから、当然、現代の目で読むとかなり古臭い。僕は「この話を現代風に書き直したらどうなるだろうか」と考えてみました。お婆さんが来るより、小さい女の子が来たほうがいいだろう。でも、人型ロボットはかなり高価だろうから、一般家庭で買うのは難しそうだ。子供の友達としてなら、ロボットでなくても、人工知能で会話する立体映像で十分なんじゃないか……と考えてゆくうちに、話ができていきました。

こうして書き上げた「ミラー・ガール」は、鏡のように見える立体ディスプレイの中の架空の少女と、それをプレゼントされた現実の少女の、数十年にわたる交流を描いたものになりました。おそらく、僕がこうしたことを解説しなければ、「ミラー・ガール」と「歌おう、感電するほどの喜びを！」の類似に気づいた人は、まずいないはずです。違う話になるよう、徹底的に改変しましたから。これはもう誇りを持って「盗作じゃない」と宣言できます。

僕に限ったことじゃありません。作家はみんな、過去に読んだ他の人の作品から、何らかの影響を受けているものです。盗作はいけないことですが、オマージュやパロディを書くのは、何も悪いことではありません。

Q.〈盗作とパロディとオマージュってどう違うんですか?〉

僕はこういう見分け方を提唱しています。

盗作:読者が原典の存在を知らないのが前提。
パロディ:読者が原典を知っているのが前提。
オマージュ:読者が原典を知っていても知らなくても支障がない。

分かりやすいでしょ?
盗作がどうしていけないかというと、原典の作者の功績を盗んでいるからです。他人が考えたことを、あたかも自分が考えたかのように見せかけている。だから読者に元ネタの存在を知られては困る。
それに対しオマージュは、元ネタの価値に依存していないので、読者に元ネタの存在を知られても価値は下がりません。さらにパロディとなると、そもそも読者が元ネタを知っていないと意味が分かりませんから楽しめません。

Q.〈どんなジャンルの本を読めばいいのでしょうか?〉

あなたの好きなジャンルの本、あなたが面白いと思う本を読めばいいのです。

僕の場合はSFが好きだったので、もっぱらSFを読んでいました。ミステリが好きな人ならミステリを、ホラーが好きな人ならホラーを、時代小説が好きな人なら時代小説を読めばいいでしょう。

ただ、あまり同じジャンルのものばかり読んでいると、世界が狭くなってしまいます。引き出しを増やす意味でも、何冊かに一冊かは、他のジャンルの本も読むべきでしょう。

Q.〈いわゆる「世界の名作」は？　ああいうのも読むべきじゃないんでしょうか？〉

僕自身、あんまり名作を読んでいません。高校時代、やはり作家になるには教養が必要かと思って、ヘッセの『車輪の下』を読みはじめたんですが、途中で挫折してしまったんです。だって、当時の僕にとって、エドモンド・ハミルトンやフレドリック・ブラウンやC・L・ムーアのほうが、『車輪の下』よりはるかに面白かったんです。

だから、「名作を読め」とは言いません。でも「名作を読むな」とも言いません。人によって好き嫌いは違うんですから。あなたが読んでみて面白いと思う小説なら、何でも、いくらでも読んでいいんです。

ただ、好きでもないものを無理して読む必要はないと思います。

「世界の名作」と言っても何百冊もあるわけで、とても全部は読めません。どれかを切り捨てるしかないんです。引き出しを増やす目的にしても、どの小説で得た引き出しが、将来、役に立つかなんて、まったく予想できません。好きでもないのに無理して、マルセル・プルーストの『失われた時を求めて』やジェイムズ・ジョイスの『ユリシーズ』（どちらも僕が若い頃に読みかけて挫折した小説です）を読まなくても、その時間を使って、あなたが面白いと思う小説をたくさん読むほうがいいんじゃないかと思います。

そもそも「名作」とは何なのでしょうか？　僕は『ＢＩＳビブリオバトル部　翼を持つ少女』の中で、ビブリオバトル部（本を紹介し合い、投票でチャンプ本を決めるというゲーム）の部長にこう言わせています。

「（前略）つまり、僕たちが教えられている〝日本の名作〟〝世界の名作〟というのは、たまたま一部の人間が発見して広めたものにすぎないんじゃないか――それが〝名作〟になったのは偶然なんじゃないかと思うんだ。

これは僕の個人的意見だが、ビブリオバトルというのは、そういう一部の〝本の特権階級〟から個人の手に、本の評価を取り戻す試みじゃないかと思う。一般に知られてなくてもいい。評論家から無視されててもいい。自分が〝面白い〝すごい〟と思った本こそが、自分にとって名著・名作なんだ。空《そら》にとってはＳＦがそうだし、お前にとってはノンフィクションがそうなんだろう。

もちろん、絶対的な評価基準なんてものはない。チャンプになった本が必ず名著ってわけでもない。発表者にとって――そして発表を聞いて興味をそそられて読んでみて、同じように感一銘を受けた者にとってのみ、名著・名作だというにすぎない。そういうもんなんじゃないのか？」

そもそも僕が書いてきたＳＦにせよライトノベルにせよ、いわゆる「名作」を支持する人からはバカにされているジャンルです。「名作」に比べ、価値が低いとみなされています。

でも、そんなことはないと、僕は思います。何を「名作」と思うかは、主観的、相対的なものです。誰かにとって『車輪の下』は名作かもしれないけど、僕にとってはそうじゃなかったように。

あなたも、誰かの決めた価値に惑わされることなく、あなた自身が「名作だ」と思う小説をたくさん読み、とにかく書いてみてください。

アイデアは道ばたの草

■アイデアは道ばたの草

Q.〈作家は毎日、小説のアイデアを見つけるために、新聞の三面記事に目を通していると聞きました。本当ですか?〉

それはものすごく効率の悪い方法です。

第一に、新聞に載っている記事のほとんどは平凡な事件です。小説のネタになりそうな変わった事件なんて、数週間に一度、あるかないかです。それを見つけるために新聞の三面記事にばかり注目するというのは、労力の無駄じゃないでしょうか。

第二に、新聞に載っている事件は「すでに起きた事件」です。もちろん、実際に起きた事件を題材に小説を書く作家もいますが、それでは執筆する小説のジャンルがかなり限定されてしまいます。特にミステリやSFやホラーの場合、「すでに起きた事件」ではなく、「まだ起きていない事件」や「決して起きるはずのない事件」を描くものですから、新聞記事はあまり役に立ちません。

そもそもなぜ、「新聞の三面記事」でなくてはいけないんでしょうね？　テレビやネットのニュースではなく？

これは僕の想像ですが、「新聞の三面記事からアイデアを得る」というのは、大正や昭和初期、テレビもインターネットもなかった時代の作家が考えたものではないでしょうか。当時はニュースを知る方法が新聞とラジオぐらいしかなかったから。時代がすっかり変わったのに、その古臭《ふるくさ》い方法論が今でも一部の人に信じられているんじゃないかと思います。

Q．〈じゃあ作家はどこからアイデアを見つけるんですか？〉

あらゆるところです。

新聞もヒントになりますが、テレビや映画を観たり、本を読んだり、ネットで検索していると思いつきます。家族や友人との会話や、日常のちょっとした出来事からも思いつきます。電車に乗っていて、近所を散歩していて、食事中に、入浴中に、ベッドの中でうとうとしていて、思いつくこともあります。

ベストセラー作家・有川《ありかわ》ひろさんの『図書館戦争』（角川文庫）の例を見てみましょう。マンガやアニメや映画にもなった有川さんの代表作です。表現の自由が著しく制限されたパラレルワールドの日本を舞台に、「公序良俗を乱す」と判断された本を抹殺しようとするメディア良化委員会に対し、図書館の自由を守るため、武器を手に戦う図書特殊部隊《ライブラリー・タスクフォース》の活動を描いた物語です。

有川さんがこの小説を思いついたきっかけは、ご主人がたまたま見つけてきた日本図書館協会の綱領「図書館の自由に関する宣言」の一節を目にしたことだそうです。

第1　図書館は資料収集の自由を有する。
第2　図書館は資料提供の自由を有する。
第3　図書館は利用者の秘密を守る。
第4　図書館はすべての検閲に反対する。
図書館の自由が侵されるとき、われわれは団結して、あくまで自由を守る。

ここから有川さんは、言論と出版の自由を侵害しようとする勢力に対し、図書館員が銃を手にして立ち向かうというアイデアを思いついたんです。

注目していただきたいのは、「図書館の自由に関する宣言」を目にしたのは有川さんだけではないということです。図書館の職員ならおそらく一度は目にしているはずですし、図書館員でなくても目にしたことのある人は多いでしょう。「図書館の自由に関する宣言」を知っていた人は全国に何万人もいるはずです。

でも、その中で「これは小説になる」と思いついたのは有川さんだけだったんです。

有川さんの小説は、どれも題材選びが秀逸で、いつも感心させられます。『シアター！』（メディアワークス文庫）の小劇団、『空飛ぶ広報室』（幻冬舎文庫）の航空自衛隊広報室、『県庁おもてなし課』（角川文庫）の高知県庁に実在する「おもてなし課」、『キケン』（角川文庫）の工科大学、『阪急電車』（幻冬舎文庫）の阪急電車……そのどれも、多くの人がその存在を知っています。工科大学に通っている人や、日頃から阪急電車を利用している人も多いはずです。でも、それが「小説になる」と気がつくところがすごいんです。

有川さんの作品では、映画化もされた『植物図鑑』（幻冬舎文庫）もおすすめです。

ＯＬのさやかは、ある夜、飲み会の帰り、行き倒れになっていた青年イツキを見つけて家に連れ帰ります。なりゆきから、さやかと同居するようになったイツキですが、料理が上手いうえに植物に詳しく、食べられる野草をたくさん知っています。二人は道ばたに生えている野草を摘《つ》んできては、いろいろな料理を作ります。本の中には、作中に出てくるそれらの料理（作者の有川さんが実際に作ってみたもの）のレシピも載っています。

この小説に、僕は二つの大きな驚きを覚えました。

第一に、「道ばたの草って食べられるんだ!?」という驚きです。いや、ツクシとかワラビとかフキノトウとかが食べられるのは知っていましたが、ノビルとセイヨウカラシナのパスタとか、イヌビユの柳川《やながわ》風とか、ユキノシタの天ぷらとか、意外な料理が次々に出てくるんです。どれも道でよく見かける草なんですが、食べられるとは思いもよりませんでした。

第二に、「道ばたの草を食べる話が小説になるんだ!?」という驚きです。単に野草を使った料理のレシピを紹介しているだけの本でなく、ちゃんと恋愛小説になってるんです。さやかとイツキが、野草で料理を作りながら、愛を育んでゆく過程が描かれています。

小説のアイデアというのはまさに、道ばたに生えた草だと思います。

あなたが料理を作る時、普通、食材はスーパーとかで買いますよね？　でも、実は食材はどこにでもあるんです。普段、大勢の人が目にしているけど、気にせずに通り過ぎ、あるいは踏みつけてゆく道ばたの草。それが調理しだいで、美味しい料理に生まれ変わるんです。

作家は他人と違うものを見ているわけではありません。たまに、とても珍しい体験をして、それを元に小説を書く人もいますが、たいていの場合、日常生活の中で、普通の人と同じものを見ています。ただ、常にアンテナを張りめぐらせていて、道ばたの草を見つけるたびに、「小説のネタになるのでは？」と考えているのです。

具体的に僕がどこからアイデアを得ているかをお話ししましょう。

もうずいぶん前、一九八〇年代初頭のことだったと思いますが、特撮ファンの友人とバカ話をしていました。「特撮番組の中で、怪獣の名前は誰がつけてるんだ？」という話です。

〈ウルトラ〉シリーズの中では、毎週、いろんな怪獣が登場します。その多くは、作中で名前がついています。ゴメス、リトラ、ラルゲユウスなどは、古代生物（もちろん架空の）の学名という設定です。ペギラは最初の目撃者が命名したものです。前にも出現したことがあり、その時に名前がついていたという設定の怪獣もいますし、作中で命名されるシーンがある場合もあります。

でも中には、出現時には名前がなかったのに、いつのまにか名前がついている例があるんですよね。たとえば『ウルトラマンA《エース》』に出てきた超獣カイテイガガン。なぜか途中から急に「カイテイガガン」と呼ばれています。いったい誰がこんな変な名前をつけたのか？

その時に思いついたのが、「気象庁が命名してるんだろう」というものでした。

怪獣が毎週出現するような世界では、怪獣は自然現象とみなされていて、テレビで天気予報ならぬ怪獣予報が流れてるんじゃないか。だとすれば管轄は気象庁のはず。台風のように、気象庁が進路を予測して警報を出してるんじゃないか。その年に出現した最初の怪獣は「怪獣1号」と呼ばれ、それとは別に固有名がつくんじゃないか……といった話をしたのです。

普通の人は、こんなバカ話をしても、すぐに忘れてしまうでしょう。でも、僕はずっと覚えていました。

もうお分かりでしょうが、この時のバカ話をふくらませたのが『MM9』なのです。

短編集『シュレディンガーのチョコパフェ』（ハヤカワ文庫JA、『まだ見ぬ冬の悲しみも』を改題）の表題作「シュレディンガーのチョコパフェ」も、やはり八〇年代前半、この友人とした会話がヒントです。ある時、彼は自分の見た夢の話をしていました。現実では絶対にありえないことなのに、夢を見ている間はありそうに思えた、というのです。そして、「夢の中では別の物理法則が働いてるんじゃないか」と言いました。

僕はその発言が妙に記憶に残りました。夢の中の物理法則ってどういうものだろう……と考えているうちに、〈夢事象理論〉という架空理論を思いつき、それを小説にしたわけです。

妻との会話がきっかけで生まれた小説もあります。

妻は結婚前からずっと老人介護の仕事をしていました。結婚した後も、妊娠して休職するまで、我が家から自転車で二〇分ほどの距離にある老健（介護老人保健施設）に通って働いていました。

そのため、新婚当初、老人介護の仕事がどれほど大変かをよく聞いていました。たとえば足腰が弱っていて自分で立ち上がれない高齢者を、ベッドから車椅子へ、あるいはその逆へ移動させるのは、すごく腰に負担がかかる作業なのだとか。妻もよく腰痛で苦しんでいました。

僕は疲れて帰ってきた妻の腰を叩いたり揉《も》んだりしてあげながら、「人間に代わって重労働をやってくれるロボットの介護士がいたらいいのにな」と思いました。

約一〇年後、そのアイデアを小説にしました。『アイの物語』に収録された「詩音《しおん》が来た日」。アンドロイドの介護士が老健にやってくる話です。もちろん、執筆前には、妻にあらためて体験談を聞いたり、老健に見学に行ったり、介護の本を読んだり、いろいろ勉強しましたけど。


他にも日常生活で、何かのきっかけでふと思いつくことも多いです。

短編集『闇が落ちる前に、もう一度』に収録されたホラー短編「屋上にいるもの」は、独身時代に思いつきました。当時の僕はマンションの最上階に住んでいたのですが、ある雨の深夜、布団に横になっていて、屋上から聞こえてくる雨の音に耳を傾けているうち、それがなんとなく人の足音のように聞こえてきたんですね。そこで、「雨の夜に何かがマンションの屋上で踊っている」というイメージを思いつきました。

同じく『闇が落ちる前に、もう一度』に収録された短編「夜の顔」は、夜中にしばしば巨大な顔を見てしまう男の物語です。これは友人の運転する車に乗って、夜の街を走っている時に思いつきました。ある路地の前で車が一時停止した時、ふと「この路地の奥に巨大な人の顔が見えたら怖いな」と妄想したのがきっかけです。

テレビを観ていてアイデアを思いつくこともよくあります。

一九九〇年代初頭、あるバラエティ番組を観ていたら、発明家を自称する男が自分の発明をスタジオで披露していました。「宇宙エネルギー」とやらで回転するモーターだというのですが、手をかざしてスタジオのライトを遮《さえぎ》ると止まってしまうんです。どう見ても、単なる太陽電池でしかありません。その男は「アインシュタインの相対性理論は間違っている」とも言っていました。明らかに怪しいんですが、司会者やゲストのアイドル歌手たちは、すっかり信じこんで感心している様子でした。

僕はふと、思いました。「このアイドルの女の子が、実はすごい天才で、本番中にこの男の発言の科学的間違いを指摘しはじめたら面白いな」と。

その発想がのちに『プロジェクトぴあの』につながりました。アイドル歌手で超天才の女の子が主人公です。バラエティ番組の中でインチキ発明家のウソを暴《あば》くシーンも、ちゃんと第二章に出てきます。

『UFOはもう来ない』（PHP文芸文庫）を思いついたのも、テレビがきっかけです。インチキだらけのUFO番組を観ていて、ふと、「もし本当に異星人がいて、この番組を観ていたらどう思うだろう」と考えました。そこから、インチキなUFO番組を作り続けてきたTVディレクターが、かねてから地球を監視していた本物の異星人と遭遇する話を思いついたわけです。

短編「地獄はここに」（『アリスへの決別』〈ハヤカワ文庫JA〉に収録）も同様の発想です。未解決の殺人事件の現場を訪れた霊能者が、事件の模様を霊視するという番組を観ていて、「犯人がこの番組を観ていたら、霊視の内容があまりにはずれまくっているので大笑いしているのでは」と思いつき、それを小説にしてみました。

僕の場合、アイデアを最もよく思いつくのは、他の人の作品――小説やマンガを読んだり、映画やドラマを観た時です。

たとえば『時の果てのフェブラリー　赤方偏移世界』（徳間デュアル文庫）は、アルカジイ&ボリス・ストルガツキーの名作『ストーカー』（ハヤカワ文庫ＳＦ）がヒントになりました。〈ゾーン〉と呼ばれる封鎖地域――かつて異星人が地球を訪れ、その影響が残っている危険地帯に侵入し、異星人の残していったアイテムを回収する男たちの物語です。

「『ストーカー』の主人公を小さな女の子にしてみたら？」というのが最初の発想でした。なぜ？　いや、特に理由はありません。美少女が好きなだけです（笑）。

『ストーカー』では異星人は登場せず、〈ゾーン〉の謎も最後まで解けません。〈ゾーン〉の中で見つかる、人類の科学を超越した正体不明のアイテムの数々（おそらく異星人にとってはゴミのようなもの）を通して、人類との絶望的な格差がほのめかされるだけです。でも、最後に謎が解ける話にしても面白いんじゃないかという気がしました。

当然、設定は『ストーカー』そのままではまずいです。そこで、〈スポット〉と命名したその異常地帯の性質を考えました。中心に近づくにつれ、時間の流れが速くなり、重力が低下する。太陽の光は赤方偏移を起こし、赤っぽく、暗くなってゆく……といった設定を創っていったんです。このへんはデイヴィッド・Ｉ・マッスンの短編「旅人の憩い」（大森望編『時間ＳＦ傑作選ここがウィネトカなら、きみはジュディ』（ハヤカワ文庫ＳＦ）に収録）がヒントになっています。

もちろん、ただの女の子がそんな危険地帯に行くはずがありません。そこで、〈スポット〉の存在が人類を脅《おびや》かしていることにして、彼女がその謎を解くのに必要な特殊能力（作中では「オムニパシー」と呼んでいます）を持っているという設定にしました。

一九九〇年に発表した作品ですが、当初は角川スニーカー文庫というライトノベルのレーベルから本格ＳＦが出たというので、当時、ＳＦ界でけっこう話題になりました。よく「ライトノベルらしからぬ作品」と評する人がいますが、僕はライトノベルの最大の魅力は「何でもあり」だと思っていますので、当然、本格ＳＦもあっていいと思っています。

『地球移動作戦』（ハヤカワ文庫ＪＡ）の場合は、一九六二年の東宝映画『妖星ゴラス』がヒントです。太陽系外から飛来した天体とのニアミスを避けるために、南極に巨大なロケット基地を建設して地球を動かすという、壮大なスケールの映画でした。中学の時にテレビの放映で観て夢中になり、以来ずっと、「小説にしてみたい」と思っていました。

問題は『妖星ゴラス』にはいくつもの重大な科学的な間違いがあり、そのままでは小説にならないことです。そこで「天体接近によるカタストロフを避けるために地球を動かす」という基本設定だけを借り、地球を動かす方法を根本的に変えて、キャラクターもストーリーもまったく違うものにしました。それでもなお「盗作だ」と非難されるのを警戒して、冒頭に『ゴラス』のスタッフへの献辞《けんじ》を入れました。

『アリスへの決別』に収録された「地球から来た男」の場合は、アーサー・Ｃ・クラークの短編「密航者」（『90億の神の御名《みな》』（ハヤカワ文庫ＳＦ）に収録）がヒントです。ネタバレになるので詳しくは書けませんが、イギリス人であるクラークが書いたからこういう話になったけど、日本人である僕が書いたらどうなるか……と考えました。すごく微妙な題材だけに、ずいぶん気を遣って書きましたけどね。

注意していただきたいのは、小説というのはこんな風に、まず食材（アイデア）から思いつくものばかりではないということです。

料理だってそうでしょう？　あなたがある料理を作ろうと思い立ったとします。ラーメンかもしれませんし、天ぷらかもしれません。もつ鍋やハンバーグやピラフやシチューかもしれません。その思い立った動機は様々でしょう。

親しい人からお歳暮《せいぼ》にカニを贈られ、それを使ったカニ料理を作ろうと思った。

イタリア料理店で食べたラザニアが美味しかったので、自分でもラザニアを作ってみたくなった。

なんとなく辛いものが食べたくなって、キーマカレーに挑戦した。

愛する人が最近、元気がないので、力づけてあげようと、栄養たっぷりの料理を作ることにした。

どれが正しいというわけではありません。どの理由も正しいのです。

小説でも同じことが言えます。必ずしも最初にアイデアから思いつくわけではありません。「他人の作品を読んで影響され、同じような話を書いてみたくなった」というのも、立派な動機です。「表現したいテーマがある」とか、あるいは前に書いたように「親しい人を楽しませたい」という動機で書く場合もあります。そうした動機に合わせて、必要な食材を見つけてくるわけです。

児童向けの長編ＳＦ『夏葉と宇宙へ三週間』の場合、最初に依頼を受けた時に、「ＳＦのエッセンスがぎっしり詰まった、子供にとって最高に面白いＳＦを書いてやろう」と考えました。となると、やはり宇宙を舞台にした、スケールの大きな冒険ものがいいだろうと。

そこで連想したのは、小学生の時に読んだ筒井康隆さんのSF童話集『かいじゅうゴミイ』（すばる書房）です。そこに収録された「うちゅうをどんどんどこまでも」は、二人の子供が博物館にあった宇宙船に乗りこんで、タイトル通り、宇宙をどんどんどこまでも突き進んでゆくという話でした。でも、童話とはいえ、いつもの筒井さんです。ラストのどんでん返しと、きわめて不道徳な一文に、「子供向けにこんなもの書いていいの!?」と、子供心にすごく嬉しくなったのを覚えています。ありきたりの教訓だったらすぐに忘れてしまいますが、不道徳な結末だったからこそ強く記憶に残ったのです。

そこで現代の子供たちに向けて、「うちゅうをどんどんどこまでも」のオマージュを書こうと思いつきました。小学生の少年と少女が宇宙船に乗って、銀河の中心を突っ切ってゆく話にしようと。

当然、ラストも、「うちゅうをどんどんどこまでも」にならって、すごく不道徳な結末にしました。さすがにストレートには書けないので、リドル・ストーリーにして、二種類の結末のどちらかを読者に選ばせることにしました。まあ、おそらくほとんどの読者は、不道徳な結末のほうを選ぶだろうと思いますが（笑）。

テーマから思いついた話の代表は、二〇一二年、日本SF作家クラブ設立五〇周年記念アンソロジー『ＳＦ　ＪＡＣＫ』（角川文庫）のために書き下ろした短編「リアリストたち」です。

この頃、あるきっかけで、差別問題、それも、と場労働者に対する差別に関心を持っていました。言うまでもなく、食品産業は人類にとって絶対に必要なものです。昔から人間は多くの肉を食べてきました。と場で働いている人たちが毎日、牛や豚を解体してくれているからこそ、僕らは牛肉や豚肉を食べられるんです。

なのに、と場の人たちを蔑視《べっし》し、ひどい差別文書を送りつけてくる奴がいるというんです。自分だってきっと、ハンバーグやソーセージや豚まんを食べているだろうに。

その話を聴いてむかむかと腹が立ち、差別をテーマした小説をどうしても書きたくなりました。でも、と場差別をストレートに題材にするのは絶対に無理。編集者が企画を通してくれません。そこで、設定をＳＦに置き換えることを思いつきました。現代にはまだ存在しない未来の差別問題の話にすれば、どこからもクレームは来ないだろうと。

僕が考えたのは「出産差別」です。

人類にとって「食」と並んで重要なのは「種族の維持」のはず。子供を産む女性たちがいるからこそ、人類という種は繁栄してきたわけです。当然、出産はおめでたいこととみなされています——今はまだ。

遠い未来、人々が人生のほとんどをバーチャル・スペースで暮らすようになり、他人と物理的に接触する機会が極端に少なくなったらどうでしょうか。「リアリストたち」の中の二二世紀の日本では、仮想空間で暮らす「ノーマル」と呼ばれる大多数の人たちは、肌と肌をじかに触れ合わせる行為をきわめて不快に感じており、現実をバーチャルより重視する「リアリスト」と呼ばれる人たちが肩身の狭い思いをしているという設定にしました。当然、出産数は激減していて、ごく一部のリアリストの女性だけが子供を産み、人口を支えています。しかし、ノーマルとして育った子供たちは、自分が母親の胎内から生まれてきたという事実を忌《い》み嫌い、自分を産んだ母親を蔑視し、憎むようになっている……。

すなわち、描きたいテーマがまずあり、それに合わせてアイデアを思いつき、プロットを組み立てていったわけです。

この「リアリストたち」、自分ではよく書けたと思ってるんですが、困ったことに、ネットの感想を読んでも、この小説が差別問題がテーマだと気がついた人がほとんどいない。僕の意図がうまく伝わらなかったわけで、反省しています。

『詩羽《しいは》のいる街』（角川文庫）も、ちょっと変わった経緯から生まれた小説です。ある時、「SFっていったい何だろう？」と考えたんです。

世の中には、異星人や超能力が出てきても、ちっともSFじゃない話――SFファンが「SFマインド」を感じない話がたくさんあります。してみると、SFというのはガジェット（小道具）ではなく、ものの考え方じゃないんだろうか？

そこで、「SF的なガジェットをまったく使うことなくSFを書くことは可能か？」と考えました。

僕が思いついたのは、「現代の日本を舞台に、現実には絶対不可能な生き方をしている女性の話」というアイデアでした。たとえば多くの人は、生きてゆくのにお金は絶対に必要だと考えています。じゃあ、お金をまったく使わずに生きていることにしたら？……と考えてゆくうちに、詩羽というキャラクターの設定ができていったのです。

ですから『詩羽のいる街』は、宇宙船もタイムスリップも超能力も出てこなくても、僕の中では立派にSFなんです。

いかがでしょう？　こう考えると、小説のアイデアなんてどこからでも生まれると思いませんか？

他の作家のエピソードも参考になります。僕のおすすめはレイ・ブラッドベリ＆サム・ウェラー『ブラッドベリ、自作を語る』（晶文社）という本です。ブラッドベリのインタビュー集で、タイトル通り、彼が自分の作品について、その誕生の由来などを語っています。

この本を読むと、ブラッドベリ作品の多くが、日常のちょっとした体験がヒントになって生まれたことが分かります。原爆投下直後の広島の写真を新聞で見てショックを受けたとか、ウォルト・ディズニーに会った時に、ディズニーランドに展示するために製作中のリンカーン大統領のロボットを見て、「このリンカーンを暗殺しにディズニーランドに来るやつがいたりして」と言ったとか、夫婦で映画を観に行った帰り道、奥さんがバイロンの詩を口にしたとか、本当に些細なことばかりなんです。

だから小説のアイデアを得るのに、特別な体験をする必要はありません。注意していれば、道ばたの草のように、普通に暮らしているだけで、どこでも見つかります。

大事なのは、思いついたアイデアを忘れないようにすることです。アイデアはなにげない日常会話などから生まれることが多いですから、逆に忘れることも多いんです。せっかくいい作品になっていたかもしれないアイデアを、忘れてしまってはもったいない。記憶力に自信がないなら、メモを持ち歩くのもいいでしょう。日常生活の中で、「これは小説に使えるかも」とピンときたら、すかさずメモしておくんです。

もう一〇年以上も前でしょうか。ＪＧＣ（ジャパン・ゲーム・コンベンション）というテーブルトークRPGやボードゲームの大会に参加した時のこと。『10 Days in Europa』(Out of the Box Publishing)というボードゲームをプレイしました。ヨーロッパの国名や飛行機や船が印刷されたカードを、うまくつながるように一〇枚並べ、一〇日間のヨーロッパ旅行のプランを組み立てるというものです。

楽屋でその話をしていたら、若いゲームデザイナーが言いました。

「なんか机上旅行部みたいですね」

「はあ？　机上旅行部？」

「大学でそういうサークルに入ってたんです。ガイドブックや旅行会社のパンフレットを集めて、架空の旅行のプランを作るんです。予算はいくらで、何日かけて、どこを観て回るかというのを。でも、実際には行かない」

「ちょ、ちょっと待って！　それ、メモする！」

僕はすぐに携帯電話のメモ機能を使って、「机上旅行部」と打ちこみました。これは面白い、いつか小説のネタになるかもしれないと。だから、今でも覚えているんです。

それから一〇年以上、まだ机上旅行部の出てくる小説は書いていません。でも、それでいいんです。覚えていれば、いつか使う機会があるかもしれませんから。

Q.〈なるほど、そうやっていいアイデアを見つけたら、いい小説が書けるわけですね！〉

いいえ、早とちりしないでください。アイデアは思いついただけでは小説になりません。

僕が中学時代に愛読した本に、筒井康隆編『SF教室』（ポプラ社）があります。筒井さんが子供向けに書かれたSFの入門書です。学校の図書室で借りて読んだ僕はすっかりのめりこみ、何度も読み返しました。僕にとってのバイブルと言っていい一冊です。

長いこと絶版だったのですが、二〇一四年、日下三蔵編『筒井康隆コレクションI　48億の妄想』（出版芸術社）という本に再録されました。これが今読んでも実に面白いんですよね。

その中の「SFの書きかた」という章で、筒井さんはこんなことを書かれています。


――SFをはじめて書くきみが、やっと見つけたアイデア――そんなものは、とっくに、どこかのプロ作家が考えだし、書いてしまっているに、きまっているのだ。しかも、ずっとおもしろく、ずっとうまい文章で！


身も蓋《ふた》もないですね（笑）。でも、これは真実だと思います。

これももう三〇年以上も前のこと。数人のSFファンが集まって雑談をしていたのですが、一人が「今度、こんな小説を書こうと思うんだ」と、新作のアイデアを話したのです。それを聞いて、僕らはいっせいにツッコミました。「それ、星新一《ほししんいち》の『午後の恐竜』だよ」と。その人は「午後の恐竜」を読んだことがなく、「えっ、もう書かれてたの？」と驚いていました。

以前、小説講座の講師をやっている方から聞いたのですが、作家志望の受講者にショートショートを書かせてみたら、「主人公は虫だった」というオチを書いてくる人がやけに多いのだそうです。一人称の小説で、主人公が巨大な怪物に攻撃をしかけようとしているとか、巨大な怪物に追われて逃げているというシチュエーションを描いた後、怪物の正体は人間で、主人公は蚊だったとかゴキブリだったとかいう真相が明かされるんです。

思いついた人は、「これはすごいアイデアだ！　こんなことを思いついた人は誰もいないだろう！」と思っているのかもしれません。あいにく、そんなのは誰でも思いつくものなんです。

プロの作家でさえ、しばしばこうした間違いをやってしまいます。一九九〇年代の話ですが、あるプロ作家が書いたショートショートを読んだことがあります。悪魔を呼び出した男が三つの願いを叶えてもらうという、典型的な〈悪魔との契約もの〉でした。最後は、男が悪魔に「願いの数を一〇〇個に増やせ」と要求するというのがオチでした。

そのアイデアは、とっくに出ていました。他の作家の〈悪魔との契約もの〉では、悪魔があらかじめ「願いの数を増やすのは禁止」と釘を刺すものもあります。

吾妻《あづま》ひでおさんのマンガ『スクラップ学園』（秋田書店）では、ヒロインのミャアちゃんが、契約を迫ってくる悪魔に向かってこう言います。

「斬新なアイディアにとんだ『悪魔との契約もの』のお話が聞きたいわ」

無理難題ですね（笑）。このエピソードが描かれたのは一九八二年です。この時代、すでに〈悪魔との契約もの〉はありとあらゆるパターンが書きつくされていて、斬新なアイデアなんてなくなっていたんです。

ですから、もしあなたが、すごく斬新なように見える〈悪魔との契約もの〉のアイデアを思いついたとしても、それはまず確実に、他の人が（かなりの確率で星新一さんが）書いてしまっているはずです。

Q.〈ええっ、それはひどい！　だったら、どんなアイデアを思いついても無駄ってことじゃないですか!?〉

いえいえ、それも間違いです。先の筒井さんの言葉は、さらにこう続くんです。

――よほど、ほかにない新しい、しかもすばらしいアイデアでないかぎり、アイデアひとつで勝負するのは、危険なのである。

そう、筒井さんが警告しているのは、アイデアひとつで勝負することの危険性なのです。大事なのはアイデアではなく、そのアイデアからどんなテーマを語るかだと。（長文になるので、さらに詳しくお知りになりたい方は『ＳＦ教室』をお読みください）

そもそも、作家が思いついたアイデアの大半は、使われることなく終わります。僕の場合で言うなら、思いついたアイデアの九〇パーセント以上は使っていません。そのままでは小説にならないからです。

道ばたの草にたとえれば分かりますよね。そのまま食べられる草は、ごく一部です。ノイチゴぐらいならまだしも、ノビルやイヌビユやユキノシタなんて、生のままじゃ食べられません。食材の多くは、焼いたり茹《ゆ》でたり揚《あ》げたり炒《いた》めたりといった調理が必要なんです。

料理の味を左右するのは、食材そのものよりも調理法です。平凡な野草が美味しい料理になる反面、どんなにいい食材でも、調理法を間違えると悲惨な料理ができてしまいます。せっかく高級な霜降《しもふ》り肉を手に入れても、それをミンチにしてハンバーグを作ったりしたら、もったいないですよね？

つまりアイデアを見つけることよりも、その調理法を見つけることのほうが、はるかに重要だし、難しいんです。

星新一さんの『できそこない博物館』（新潮文庫）という本があります。星さんの創作メモの中から、思いついたものの自分でボツにしたアイデアを集めたものです。紹介されているボツ案は一五五編。もちろんこれですべてではなく、実際にはその何倍もボツ案があったはずです。

読んでみると確かに、しょーもないアイデア、うまく小説になりそうにないアイデアも多いものの、「ええっ？　星さん、こんな面白そうなアイデアまでボツにしてたの!?」と驚くものもあります。星さんは生涯で一〇〇一編のショートショートを書いたことで有名ですが、実際はその何倍ものアイデアを思いついていたんです。その中から、一流の料理人が食材を厳選するように、平凡なアイデアやつまらないアイデアを篩《ふる》い落とし、面白くなりそうなものだけを選んで小説にしてたんですね。あらためて星さんの偉大さを思い知らされ、頭が下がります。

さっきの筒井さんの言葉のように、小説を書きはじめたばかりの人が、アイデアだけで星さんと勝負しようとしたって無理なんです。素人が「画期的なアイデアを思いついたぞ！」と思っても、そんなのはたいてい星さんが書いてしまっています。だって、向こうは一〇〇一編ですから！

だから**アイデアが既成の作品とかぶることを恐れてはいけません。**重要なのは、食材ではなく調理法です。

たとえば豚肉という同じ食材を使っていても、生姜《しょうが》焼きと茹で豚と豚汁とポークソテーとカツ丼はまったく別の料理です。同様に、タイムマシンというアイデアを使っていても、H・G・ウェルズの『タイム・マシン』とR・A・ハインラインの『夏への扉』（ハヤカワ文庫SF）とバリントン・J・ベイリーの『時間衝突』（創元SF文庫）とロバート・J・ソウヤーの『さよならダイノサウルス』（ハヤカワ文庫SF）とスティーヴン・バクスターの『時間的無限大』（ハヤカワ文庫SF）はまったく別の作品です。（もちろん僕の「まだ見ぬ冬の悲しみも」や『去年はいい年になるだろう』も）

だから『地球移動作戦』のように、他の人が思いついたアイデアを借りて小説を書いたって、いっこうにかまわないんです。アイデアが同じでも、調理法がまったく違っていればいいんです。

ただ、その調理法を思いつくのが難しい。

僕もさっきの「机上旅行部」みたいに、調理法を思いつかないまま寝かせているアイデアがたくさんあります。星さんにならって、僕のメモの中から、未使用のアイデアをいくつかご紹介しましょう。

たとえば、メモには〈幻翼《げんよく》〉と書かれています。

事故や戦争などで手足を切断した人が、もう存在しないはずの腕や脚がまだあるように感じることを〈幻肢《げんし》〉と言います。存在しない腕が痒《かゆ》いとか、存在しない脚が痛むという例も多いそうです。

では、現代の日本に、存在しないはずの翼があるように感じている人がいたら？……という発想です。これ、高校時代の一九七〇年代に思いついたものの、いまだにどう料理していいか分かりません。

同じ時期に思いついたのが、〈世界を征服できる方程式〉。ヒントになったのは、一九七三年のオイルショックの時、「トイレットペーパーがなくなる」とか「愛知県の豊川《とよかわ》信用金庫が倒産する」といったデマが流れ、大きなパニックに発展したことがあります。もし、そうしたパニックを、誰かが故意にコントロールできたとしたら？

主人公は大学の社会学部の学生で、群集心理のメカニズムを正確に記述する方程式を発見します。実験してみると、暴動なんて簡単に起こせると判明。その気になれば、大衆の意志を操り、世界を征服することもできる。主人公は誠実な人物で、独裁者になんかなる気はない。最初はこの危険な方程式を封印しようとするのですが、せっかく巨大な力を手に入れたのに、それを人類のために役立てないのは無責任ではないかと苦悩する……という話です。やはり、そこから先をどう展開させていいか分かりません。

数年前に思いついてメモったのが〈現実のサポートセンター〉。次々にいろんな不運に見舞われる男が、この現実世界を管理している団体のサポートセンターに電話をかけ、「俺の人生、なんかバグってんじゃね？」とクレームを入れる……という発端部を思いついたんですが、やはり、その先をどう展開させるべきかで悩んでいます。

ほんとにこういうメモがいっぱいあるんですよ。どの食材も、いかにも美味しくなりそうな気がするんですが、どうすれば素材の味を上手く引き出せるのか、それが分からない。

実は〈世界を征服できる方程式〉は、アマチュア時代に、某プロ作家の方に相談したことがあります。このアイデアはどうすれば面白くなるんでしょうかと。その方の回答はこうでした。

「俺だったら、その方程式をめぐるスパイの争奪戦の話にするな」

それを聞いた瞬間、僕は「その案はダメだ」と思いました。このアイデアのキモは、「平凡な人間が世界を征服できる力を持ってしまったら、それをどう使うのか」という部分じゃないですか。それをスパイが奪い合うためだけに存在するアイテム（いわゆるマクガフィン）にしてしまったら、〈世界を征服できる方程式〉である必然性なんかない。新兵器の設計図や、細菌兵器を詰めた試験管、世界史を揺るがす機密文書とかであってもいい。

食材が秘めている可能性を無視する。それは明らかにダメな調理法です。霜降り肉をミンチにしてハンバーグを作るような。

そんな調理法を選んではいけません。いいアイデアであればあるほど、正しいと思える調理法が見つかるまで寝かせておくべきです。

ああ、そうそう。ここに紹介したいくつものアイデア、僕はまだ当分、使うつもりはないので、あなたがいい調理法を思いつかれたなら、自由に使っていいですよ。もちろん、素材の味を十分に引き出すような調理法でないといけませんが。

小説のアイデアが料理の食材と違うのは、賞味期限というものがないことです。一部の時事ネタを除いて、そんなすぐに腐ってしまうようなものはありません。いい調理法が見つかるまで、何年でも寝かしておいていいんです。場合によっては、ワインのように熟成して、味が良くなってくる場合もあります。

たとえば『詩羽のいる街』の場合、思いついたのは一九八〇年代前半。実際に書いたのは二〇〇八年。約二五年も温めてきたんです。もちろん、その間、何もしなかったわけではありません。ストーリーの中に盛りこめそうな小さなアイデアをこつこつと集めていました。

長いこと寝かせていたアイデアが、急に化学変化を起こすこともあります。たとえば『闇が落ちる前に、もう一度』に収録された短編「時分割の地獄」。これも思いついたのは八〇年代前半です。

「実体を持たない人工知能アイドルが、タイムシェアリングの空き時間を利用して、様々なことを思索する」「彼女はある男性に愛情を抱いており、彼と結ばれたいと願っている」というアイデアでした。彼を仮想空間に取りこむ方法や、結末をルーマニア民話からの引用で締めるのも、当時から考えていました。もっとも、結末にいたるプロットはまだ漠然としていて、形になっていませんでした。

発表する機会もないまま温め続けていたのですが、二〇〇三年の暮れ、突然、「愛情ではなく殺意を抱いていることにしたら？」と思いつきました。そうしたら、たちまちプロットができ上がってしまったんです。

ですから、面白くなりそうなアイデアを思いついても、それにこだわることはないんです。熟成するのを待てばいい。その間に他のアイデアを——もっと早く作れそうな料理を探してみましょう。

Q.〈でも、アイデアがただ自然に熟成するのを何年も待つのって、効率が悪すぎませんか？

もっと早く調理法を見つける手段はないんでしょうか？〉

確実ではありませんが、いくつか方法があります。

ひとつは、**そのアイデアをオチに使わないこと**です。

二〇一一年のこと、認知心理学関係の本を読んで、「アントン症候群」というものの存在を知りました。事故などで大脳の後頭葉《こうとうよう》に損傷を受けた人が失明するのですが、「私は失明なんかしていない。ちゃんと見えている」と主張するのです。その原因はまだ完全に解明されてはいないのですが、どうやら嘘をついているわけではなく、本人には実際に見えているらしいんです。視覚が正常であれば見えているはずの光景とまったく見分けのつかない幻覚を見ていて、それを自分が肉眼で見ている光景だと思いこんでいる。

「これはミステリのトリックに使える！」

僕は興奮しました。主人公が何か奇怪な事件を目撃する。実際に起きたことだと思っていたが、ラストで彼は、実はアントン症候群だったことが判明する……。

でも同時に、疑惑も芽生えました。「こんな面白いネタ、目をつけたのが僕が世界で最初とは思えない。とっくに誰かに使われているんじゃないか？」と。

すぐにパソコンに向かい、〈アントン症候群　小説〉とか〈アントン症候群　ミステリ〉という検索ワードで検索をかけてみましたが、それらしいヒットはありませんでした。でも、油断はできません。ミステリを紹介する場合、結末をバラさないのが不文律です。つまり、結末で主人公がアントン症候群であることが判明するミステリがあったとしても、その結末の部分はネットに書かれておらず、検索にひっかからない可能性が大きいんです。

検索できないのに、どうすれば他の作家とのアイデアのかぶりを避けられるのか。考えた末に、思いつきました。「アントン症候群をオチに使わなければいいんだ」と。

主人公がアントン症候群であることは、物語の最初の方で読者に明かしてしまう。そのうえで、「じゃあ主人公が見た（と思った）ものは何だったのか」という謎で読者の興味をつなぐ。そうすれば「アントン症候群をオチに使ったミステリ」があったとしても、競合は避けられるはずです。こうして書き上げたのが、『僕の光輝く世界』です。

僕がこういう手法を用いたのは、これが最初ではありません。

一九八〇年代のこと、ある短編ＳＦ（ネタバレになるので作者名とタイトルは伏せます）を読みました。その作品は、「実はこの世界はコンピュータの中に構築されたシミュレーションだった」というのがオチでした。僕はそのオチに、おおいに不満を抱きました。


「何でここで終わっちゃうの？」


確かにこの短編のオチは、当時としては目新しかったのでしょう。でも、ただの一過性の驚きでしかありません。

「もしこの世界が現実ではなかったとしたら」というアイデアは、とてつもなく大きな可能性を秘めています。科学だけではなく、宗教、哲学、倫理学など、いろんな方面からテーマを語れます。

もっといい調理法を思いついたら、素晴らしく美味しい料理になっていたはず。そんな貴重な食材が、短編の単なるオチとして浪費されていることが許せなかったんです。

この時の不満が、のちに『神は沈黙せず』に結実しました。「この世界は神が創造したコンピュータ・シミュレーションだった」という話ですが、その真相はかなり早い段階（全二六章の小説の第一一章）で明かしてしまい、むしろそこから本格的に物語が動き出します。

このアイデアは、断じて、ラストで読者を驚かせるためだけに浪費していいものではない、と思ったからです。

これまで語ってきたいろんなアイデアも同じです。「UFOディレクターが作ってきたインチキなUFO番組を、本物の異星人が観ていた」なんてアイデアは、オチに使っても、あまり面白くないショートショートにしかならないでしょう。

プロ作家の作品でも、「何でここで終わっちゃうの？」と思ってしまうことはよくあります。特にミステリとSFを融合させたタイプの作品で、しばしば見かけます。謎めいた事件が起こり、そのSF的な真相がラストで明らかになります。物語にオチをつけることができて、作者は満足なのかもしれませんが、読者としては「その先を見たい」と思っちゃうんですよね。

ですから、あなたがアイデアの調理法に悩んでいたなら、そのアイデアを結末ではなく、冒頭に持ってくることを考えてみましょう。まったく違う展開が見えてくるかもしれません。

もうひとつは、**別の食材と組み合わせてみること**です。一種類の食材だけでできる料理なんて、めったにありません。ほとんどの料理は、複数の食材の組み合わせでできています。単独のアイデアだけでは面白くならなくても、他のアイデアと結びつくことで、ぐっと可能性が広がります。

僕は一九八〇年代前半、〈S.S.C.〉というSF創作サークルに在籍していました。今で言うシェアード・ワールドというやつで、会員は宇宙船のクルーとなり、キャラクター名をペンネームにして、共通の設定で小説やマンガを書いていました。

そのサークルの同人誌のために構想していた話が二本ありました。一本は自己進化する無人巨大戦艦を追跡する、『スタートレック』風のスペースオペラ。もう一本はこのサークルそのものをモデルにして、自殺をほのめかして失踪した会員を探す話。でも結局、どっちも書かなかったんです。どうも今ひとつ面白くなりそうにない気がして。

それから十数年後のある朝、ベッドの中でぼんやりと別の小説のアイデアを練っていた時、突然、ふたつの小説のプロットを融合させれば、まったく別の、しかも素晴らしい話になると気がついたんです。その瞬間、自分で感動してしまって、「ちくしょー、この話書きてー！」と、布団を抱き締めて悶《もだ》えたものです（笑）。

この話は〈ＳＦ　Ｊａｐａｎ〉二〇〇三年冬号に「宇宙をぼくの手の上に」という題で発表、のちに『アイの物語』に収録しました。

同じくアイデアの合体によって生まれたのが、〈ＢＩＳビブリオバトル部〉シリーズです。

僕は以前から、ＳＦの面白さをもっと世間に広めたいと思っていました。そこで三上延《みかみえん》さんの〈ビブリア古書堂の事件手帖〉（メディアワークス文庫）や野村美月《のむらみづき》さんの〈文学少女〉シリーズ（ファミ通文庫）のＳＦ版みたいなものを書けないかと構想していたんです。ＳＦの大好きな少女が、ＳＦの魅力を熱く語る小説はどうだろうかと。

ただ、それをどういう設定にするかで、ずっと悩んでいました。古書店を舞台にしたら〈ビブリア古書堂〉の二番煎じになってしまいます。それにミステリ仕立てだと話のパターンが限られてしまいそうな気がします。かと言って、ヒロインがただSFについて語るだけの話では、ひどくつまらないものになりそうです。

そんな時、二〇一三年七月に広島で開かれた第五二回日本SF大会「こいこん」の会場で、SF文学振興会というグループが主催した「子供たちにSF本を」というパネルディスカッションを見ました。そのサークルは活動の一環として、ビブリオバトルをやっているとのことでした。

僕はそれを聞いて、「これだ！」とひらめきました。ビブリオバトルのことは前から知ってはいたんですが、それがこの瞬間、「SFの好きな少女が、毎回、SFの魅力を熱く語る」というアイデアと結びついたんです。そこから先はまさに一気呵成《いっきかせい》という感じで、どんどん設定やプロットができていきました。

僕はこういう現象を「アイデアの化学反応」と呼んでいます。別々のアイデアが出会うことで、化学変化が起き、新しいアイデアに生まれ変わるんです。

話がそれますが、僕の妻はとても料理が上手です。

僕も週に一回ぐらいは家で料理を作るんですが、料理の本に載っているレシピの通りに作るので精いっぱい。妻の技術にはとうてい及びません。料理のセンスがすごくて、レシピなんか見なくてもアドリブで料理を作っちゃうんです。

ある時、僕は夕食にキノコのリゾットを作っていて、大きな失敗をしました。材料のコンソメの分量を間違えて、ひどく味の薄いリゾットになってしまったんです。

ひと口、味見をして、妻は言いました。

「ごめん、これ、作り直していい？」

「いいよ」

妻はさっそく、僕の失敗したリゾットを改良しはじめました。最初はバターを混ぜてみましたが、「どうもイマイチやな」と首を傾《かし》げています。

その次に妻が持ち出したものを見て、僕は仰天しました。

松茸《まつたけ》の味のお吸いもの！

その粉末を混ぜると、失敗したリゾットが、見事に美味しく生まれ変わったんです。魔法のようでした。リゾットの味を変えるのに、ありきたりの香辛料とかではなく、松茸の味のお吸いものを思いつく妻のセンスに感嘆しました。

料理が上手い人というのは、「味の完成形」が見えてるんですね。実際に試す前から、頭の中で、「この材料にこの材料を混ぜたら、こういう味になるはず」というイメージができている。もちろん、最終的に自分の舌で確認して、味を調整しなくてはなりませんが、少なくとも、大きな失敗はしない。

僕みたいな料理の素人には、なかなかまねできるものじゃありません。こういうセンスは、多くの料理を作り続けてきた経験から、自然に身につけていったものなんだろうと思います。

小説も同じです。どんなジャンルでもそうですが、生まれつきのすごい天才なんて、フィクションの中ならともかく、現実にはなかなかいません。僕は自分に先天的な才能はなかったと思っていますし、おそらくあなたもそうでしょう。

面白い話を思いつく能力――「このアイデアはこう料理すれば美味しくなるはず」とか「この

アイデアとこのアイデアを結びつけたらこういう感じの作品になるはず」といったことを書く前から予想できる能力というのは、やはり経験によって培われるものだと思います。本書「小説を書きはじめる前に」で「とにかく書いてみよう」という話をしたのは、まさにそういうことなんです。

失敗してもいいからとにかく書いてみる——ＲＰＧで言うなら「経験値を貯める」という行為が、地味にスキルアップにつながるんです。

穴を埋めれば宝が見つかる

■穴を埋めれば宝が見つかる

今回は、僕も昔かかっていた恐ろしい病気の話をします。その名も〈設定病〉です。

二〇〇九年頃のこと、ある読者（仮にAさんとします）から、出版社経由で厚い封筒が届きました。中の手紙には、「僕は今、ライトノベルを書きたいと思っており、その構想を練っている最中です」とあり、Aさんが構想している小説のキャラクター設定がびっしり書かれた紙が同封されていました。登場するキャラクターは男子三〇人、女子三〇人の計六〇人。その全員に、特技・誕生日・星座・血液型・身長・出身地、女子の場合はスリーサイズまで細かく設定されていました。

手紙によれば、キャラクターはAさんの考えたものですが、物語の設定は彼が熱中したゲームのそれを流用したものだそうです。つまり二次創作です。そのゲームがリメイクされることがあればノヴェライズを書きたい、と書かれていました。

後で判明したのですが、その設定書は僕以外にも何人もの作家に送られていました。Aさんの意図はよく分かりません。もしかしたら、作家の誰かが設定を読んで感心し、Aさんを出版社に紹介して、ノヴェライズを書かせてあげるよう計らってくれることを期待していたのかもしれません。

残酷なことを言わせていただくなら、それは決して叶わない夢です。

常識で考えれば分かります。まず、そのゲーム（ややマイナーな作品です）がリメイクされるかどうかが分かりません。たとえリメイクされても、ノヴェライズの仕事はAさんには決して回ってこないでしょう。

前にも書きましたが、僕がパソコンゲーム『ラプラスの魔』のノヴェライズをまかされたのは、〈奇想天外〉誌の新人賞で佳作になったことや、同人誌に作品を発表していたことを、原作者の安田均さんが知っていたからです。すでに実績があり、「こいつなら書けるはずだ」と安田さんに信じてもらえたからこそ、仕事をまかせてもらえたんです。どこの会社だってそうでしょう。誰かに仕事をまかせる場合には、「この人ならできるはずだ」と信頼できる人を選ぶものです。

それに対してAさんはどうでしょう。「僕は今、ライトノベルを書きたいと思っており、その構想を練っている最中です」――そう、まだその小説を書きはじめてもいないんです。つまり実績ゼロ。設定を書く作業にばかり熱中し、それをいろんな人に送りつけているだけなんです。ほら、僕の考えたこの設定を見て。すごいでしょ、と。

でもね、キャラクターの身長とか誕生日とかBWHの数字を見せられたって、完成した小説がどれぐらい面白いかとか、そもそもその人が小説を書けるかどうかなんて、判断できないでしょう？　だいたい、総勢六〇人ものキャラクターを設定しても、その個性を描《か》き分けられて、ちゃんと動かせるんでしょうか？　全員を登場させるとしたら、いったいどんな大長編になるんでしょう？　そんなプロ作家でも困難なことを夢想している時点で、プロ作家から見ると、「ああ、この人は小説を書いた経験がないんだな」と分かっちゃうんですよ。

誤解なきように。夢を見るのはいいんです。僕も子供の頃からずっと「ＳＦ作家になりたい」という夢を追い続けてきて実現した人間ですから、夢を否定したりはしません。

でも、**見るならば実現可能な夢を見ましょう。**実現不可能な夢を見るのは、ただの現実逃避です。


どうもＡさんは〈設定病〉にかかっているようです。

僕もアマチュア時代、この病気にかかっていた期間がかなり長かったので分かります。小説を書くことをそっちのけにして、設定とかプロットとかを作る作業に熱中してしまうんです。ＳＦの場合なら、舞台となる惑星の直径、表面重力、自転周期、公転周期、軌道傾斜角、離心率、大気組成などの細かいデータを設定します。異世界ファンタジーなら、舞台となる世界の地図を描いたり、魔法の系統を作ったり、年表や王家の家系図を書いたりします。絵が描ける人なら、もちろんキャラクターのイラストも描きます。

また、大長編シリーズを構想し、各巻のタイトルだけでなく、「この巻で彼女は恋に落ちる」とか「この巻では敵に負けて精神的に打ちのめされ」といった具合に、自分がこれから書く予定の小説のストーリーや名場面を詳細に夢想します――はい、アマチュア時代に僕もさんざんやりました（笑）。

でも、夢想するばかりで、いっこうに書きはじめようとはしないんです。

Q.〈J・R・R・トールキンは〝中つ国〟の地図を描いたり、架空の言語とかも創《つく》っていたそうですけど?〉

その通りですが、トールキンは『指輪物語』や『ホビットの冒険』といった作品をちゃんと書いています。そこが、ただ夢想するだけの人とは、大きな違いです。

トールキンが賞賛されるのは、決して細かい設定を作ったからではありません。優れた作品を書いたからです。同様に、あなたがトールキンのまねをして、異世界の地図を詳しく描いたり架空の言語を創造したりしても、それだけでは誰も褒めてくれません。ちゃんと小説を書かなくては。

〈設定病〉が怖いのは、本人に「創作をしている」と錯覚させてしまうことです。「こうした細かい設定を作るのは無駄じゃない。いずれ書く小説のために必要な作業なんだ」と思いこんで熱中してしまう。そして、まだ存在していないその小説がどれほど面白いかを想像し、満足してしまう。

それは大きな錯覚です。

小説を料理にたとえるなら、設定やプロットを作る作業は、レシピを書く行為に相当します。もちろん、料理を作る前に、(頭の中でも、紙の上でもいいのですが) 手順をレシピにする作業は必要です。どんな材料を揃えて、どんな風に切って、どれだけ煮て、どんな調味料を入れるか……といったことを、事前にきちんと考えておかないと失敗します。だからレシピは必要です。

でも、レシピを書くことを「料理を作る」とは言いませんよね？

自分で書いたレシピを眺めて、「この通りに作れば美味《うま》い料理ができるぞ」とほくそ笑んでも、はっきり言って意味がありません。実際に作って完成させてみるまでは、レシピはレシピであって、「料理」じゃないんです。そしてその料理が美味しいかどうかは、実際に食べてみないと分かりません。作ってみたら、思ったほど美味しくないかもしれない。それは作りながら少しずつ味見をして、味を調整してゆくしかないんです。

設定を作る作業は面白いし、必要ですが、やりだしたらきりがありません。凝《こ》ろうと思ったら無限に凝れるんですから。だからどこかで切り上げて、実際に執筆に取りかからなくてはならないんです。

あと、せっかく設定を作っても、それが小説中にぜんぜん生かされないというのも困ります。たとえば主人公たちの冒険の舞台となる世界の地図を描き、〈とまどいの森〉とか〈滅《ほろ》びの湖〉とかいった場所があると設定したのに、主人公たちは一度もその場所を訪れないとか。

ＳＦやファンタジーに限った話ではありません。いわゆる一般文芸でも、冒頭でいきなり、主人公の経歴をこと細かに書きこんでいるものがありました。少年時代は何区の何という町の何丁目に住んでいて、何という小学校に通っていたとか。中学は何という中学で、高校は……といった具合に。でも、主人公は今や大人ですから、通っていた小学校や中学校の名前なんて、明らかに物語に必要ないんです。

もしかしてあなたも、キャラクターの誕生日や身長や血液型やスリーサイズを設定していませんか？　まあ確かにアイドル・ゲームなんかでは、そういうデータを設定しているものがよくありますね。だから、それをまねしてみると、自分がなんとなくプロっぽいことをやっているように思えてしまう。

でも、それは勘違いです。不要な設定を作っている時間があるなら、その時間で何ページでもいいから小説を書き進めるべきです。

Q.〈どういうのが〝不要な設定〟なんでしょうか？〉

あなたが書こうとしているのは娯楽小説、つまり読者を楽しませるのが目的の小説のはずです。だったら、**読者を楽しませることに貢献しない設定は、すべて不要な設定です。**

たとえばキャラクターの容姿。ヒロインを巨乳だと設定するのは、巨乳好きの男性読者には嬉しいはずです。もちろん貧乳好きの男性読者もいます。だから、貧乳だと設定するのもかまわない。

しかし、スリーサイズをセンチメートル単位で設定することに、何か意味はあるんでしょうか？ヒロインのバストのサイズが九九センチか九八センチか九七センチかで、あなたの物語に何か重要な違いが生じるんですか？

身長にしたってそうです。キャラクターが「長身」「スレンダー」「がっしりした体格」「ちびっこ」などと設定するのはかまいません。でも、身長をセンチメートル単位で設定することに意味があるんでしょうか？

キャラクターの誕生日？　それって作中で誕生パーティのシーンがあるか、登場人物たちが星座占いの話でもしないかぎり、必要ないんじゃないですか？

血液型？　輸血のシーンでもないかぎり、必要ないですよね？

それらはみんな不要な設定なんです。

僕がこうしたことを気にするようになったのは、『ラプラスの魔』を書いた時からです。この小説、僕は執筆前にはりきって、キャラクターの背景設定をいろいろ考えたんです。

たとえば私立探偵のアレックス・クインの過去。彼は元刑事で、正義感の強い男だったんですが、ある時、署内の警官の中に、ギャングと内通して捜査情報を流している者がいることを知り、上司に報告します。でも、上司も実はギャングと癒着《ゆちゃく》しており、アレックスに沈黙するよう命じます。不正を許せないアレックスはそれでも騒ぎたてたため、同僚の警官たちから露骨《ろこつ》な嫌がらせを受けるようになります。腐敗した組織に絶望した彼は、ついに警察を辞め、私立探偵に転職。それ以来、正義というものをまともに信じられないシニカルな性格になってしまった……というものでした。

ところがこの小説、編集さんから「原稿用紙四〇〇枚ぐらいで」と注文されたのに、僕ははりきりすぎて、五四〇枚も書いちゃったんです。そのため、大幅にカットするよう命じられました。こっちはまだ新人ですから、逆らえません。

書き上げた作品というのは自分の血肉みたいなものですから、カットするのはものすごく苦しい作業でした。それでも泣く泣く、メインのストーリーに関係ない部分を、ばっさりと切っていきました。第一章はまるごとカットしましたし、先に書いたアレックスの過去の話も、すべて削除しました。

そうしてできあがった小説を読み直してみて、気がついたんです。「アレックスの過去、必要なかったな」と。

もちろんキャラクターの過去を設定すること自体は、必ずしも間違いじゃありません。たとえば、のちに『神は沈黙せず』を書いた時には、ヒロインの和久優歌《わくゆうか》の幼少期や学生時代のエピソードを、かなり長く書きこみました。でも、それはストーリー上の必然性があったからです。

子供の頃に天災で両親を失った悲惨な過去があるから、神を信じられなくなった。また、人生の中で、人が明らかに間違ったことを信じてしまうという実例をいくつも見てきたので、「人は自分が信じたいものしか信じない」と考えるようになった……こうした設定は『神は沈黙せず』という物語を語るうえで、どうしても必要なことでした。だから詳しく書いたんです。

アレックスの場合は違います。そういう過去があるせいで警察を信用できないとか、この事件を解決することで正義への信頼を再び取り戻すとかいう展開になるなら、過去を描くことに意味はあります。

でも、『ラプラスの魔』は明らかにそういうストーリー構造になっていません。アレックスの過去のエピソードは、何ら物語を面白くするのに貢献していない。つまり不要な設定だったんです。

それ以来、僕は新作のプロットを練ったり設定を作ったりする際に、いつも自問自答するようになりました。「その過去の設定、必要なの？」とか「そのシーンを描くことでこの話は面白くなるの？」とか。

他の人の小説を読んでいても、ちょくちょくそれが気になります。主人公の幼い頃の思い出話、それも明らかにストーリーと直接関係ない、伏線にも何にもなってなさそうなエピソードを何ページも読まされていると、「ここ、カットしろよ」と思っちゃうんです。

Q.〈あれ？　でも、山本さんも異星人の惑星をかなり細かく設定してましたよね？〉

はい。『UFOはもう来ない』では、登場する異星人スターファインダーや、その惑星〈大き《グレート》な平皿《プラター》〉の設定をかなり詳しく考え、巻末に掲載しました。

もともと海外のSFには、舞台となる世界の設定を巻末に載せているものがいくつもありました。ハル・クレメント『重力への挑戦』（創元SF文庫）、ポール・アンダースン『処女惑星』（創元推理文庫）、ロバート・L・フォワード『竜の卵』（ハヤカワ文庫SF）などなど。いっぺんそれをまねしてみたかったということもあるんですが（笑）、もっと大きな動機は、この『UFOはもう来ない』に関しては、そうやって詳細な設定を創ることで話が面白くなると確信したからです。

『UFOはもう来ない』はファースト・コンタクトものです。人類とまったく異なる容姿、異なる考え方をする知的生物との接触が描かれます。当然、そこで重要になるのは、人間と文化や考え方の異なる異星人の存在を、いかにもっともらしく描けるかです。

これまでSF小説には、様々な異星人が登場してきました。昔の作品では、人間とまったく変わらない姿で、人間と同じように考えて喋る異星人も多かったのですが、現代のSFでは、「異星人は姿形だけではなく、文化や考え方も地球人とは異質でなくてはならない」という考えが浸透しています。確かに知性を持った生物なんだけど、人間にはありえないような考え方をするのだと。テッド・チャン「あなたの人生の物語」（短編集『あなたの人生の物語』〔ハヤカワ文庫SF〕に収録）のヘプタポッド、ニーヴン&パーネル『降伏の儀式』（創元推理文庫）のフィスプなど、例を挙げればきりがありません。僕も『サイバーナイト　漂流・銀河中心星域』（角川スニーカー文庫）のトレーダー族やゴーディク人、「バイオシップ・ハンター」（『シュレディンガーのチョコパフェ』に収録）のイ・ムロッフ、「メデューサの呪文」（同）のインチワームなど、いろんな異星人を創造してきました。

もっとも映像作品には、まだそうした意識はあまり浸透していないようです。『スター・ウォーズ』『E.T.』『エイリアン』『プレデター』『インデペンデンス・デイ』などなど、確かに奇妙な外見の異星人が出てくる映画はたくさんあります。でも中身まで異星人じゃないものが多いんです。地球人と同じような喋り方をするか、さもなくば、行動があまりにも非論理的で、とても知的生物のように思えないとか。

映像作品に出てくる「知的じゃない異星人」の代表例のひとつは、『X－ファイル』第一シーズン一〇話「堕《お》ちた天使」に出てくる異星人です。ある目的のために地球に潜入するんですが、たまたま出会った森林警備隊員を殺してしまうんです。べつに正体を見られたので口封じしたとか、攻撃されたから反撃したとかじゃありません。というのもこの異星人、透明で、人間の目では見えないんです。

さて、考えてみてください。透明な異星人ですよ？　気配を殺せば、地球人に見つかることなく、自由に歩き回れて、目的を完遂できたはずです。でも、必要のない殺人事件を起こしてしまったせいで、かえって注目を集めてしまうんです。これは知的生物にしてはまったく筋が通らない行動です。僕はこの瞬間、「このドラマの脚本家は、明らかに異星人の心理まで考えてないな」と気がついて、しらけてしまいました。

他にもあります。映画『サイン』（二〇〇二年）に出てくる異星人は、水を浴びると体が溶けるという致命的な弱点があります。なのに、どこもかしこも水だらけの地球を侵略してくるんです。それも防護服などを着ず、素《す》っ裸《ぱだか》で！　雨が降ったら全滅ですよ。

そもそもこの異星人の目的、人間を襲って食うためということになっていましたが、はたしてこいつらが人間を食えるんですかね？　人体は六〇パーセントは水なんですけど。あと、仲間に通信を送るのに、畑にミステリーサークルを作るというのも意味不明です。通信機、持ってないの？

僕は『UFOはもう来ない』を書く前、こういう類《たぐい》の愚《ぐ》を犯してはならないと考えました。「異質」であることと「デタラメ」であることは違います。異星人は地球人とは異なる考え方をしますが、知的生物である以上、その考え方や行動は彼らなりに筋が通ったものでなければいけないはずです。

しかも『UFOはもう来ない』は長編ですから、当然、スターファインダーの登場シーンは長く、台詞《せりふ》も多くなります。それらがすべてちゃんと筋が通ったものであり、なおかつ読者に異質さを感じさせるものでなくてはなりません。ですから、背景は薄っぺらなものではだめ。かなり詳しいものが必要でした。

そこでスターファインダーの惑星の環境や、彼らがどのように進化してきたかを設定することにしました。そうやって基本的なことを一から設定していけば、矛盾《むじゅん》がなく、なおかつ異質な文化や考え方の生物を創造できると考えたのです。

たとえば惑星グレートプラターは、大きな月を持つ地球と違って、小さな衛星が一個しかなく、太陽の引力による一日二回の規則的で穏やかな潮汐《ちょうせき》しかないと設定しました。大陸の周辺には広大な干潟《ひがた》が広がっていて、スターファインダーの先祖はそこで進化したけれども、地球人の先祖のように、完全に陸生《りくせい》にまで進化しなかった。また、彼らの太陽は紫外線が強く、スターファインダーにとっては有害で、昼間は泥をかぶって紫外線を避け、夜明けと日没前後の時間帯に活動すると設定しました。

この設定からただちに、彼らの神話体系を思いつきました。地球人にとって太陽は恵みであり、崇拝の対象です。太陽神信仰は世界各地に存在します。でもスターファインダーの神話体系では違います。太陽は崇拝されていないんです。

本来、すべての星は平等に輝いていて、世界は穏やかな薄明《はくめい》に満たされていた。しかし太陽が他の星たちから光を奪って、自分だけ輝きを増した。そのため、太陽は〈反逆者《トレイター》〉と呼ばれている。スターファインダーが崇拝するのは〈女狩人《ハントレス》〉と呼ばれる明るい星で、いつかハントレスが力を取り戻し、〈反逆者〉を追放して、我々を光あふれる過酷な世界から解放してくれると信じている……という神話を創り上げました。

さらに小さな衛星の存在も神話に組みこみました。この衛星はジャガイモみたいな形をしているうえ、軌道が楕円《だえん》形で、地上から見た形や色が頻繁《ひんぱん》に変わる。そのため、善悪を超越した天界のトリックスターであると考えられ、〈惑乱者《パープレクサー》〉と呼ばれるようになりました。

さて、こうした神話体系を創造することで、スターファインダーの言動に異質さと厚みが生まれます。結果として、こういう台詞が書けました。

〈偉大なる天界の母ハントレスよ、あなたが帰還する日があるのなら〉ペイルブルーは誰もいない夜空に向かってメッセージを表示した。〈ライング・クールグレイを冷たき星の干潟より呼び戻し、永遠の薄明に置かれることを。彼は決してトレイターの光に屈せず、パープレクサーの色にも惑わされませんでした〉

どうです？　ちょっとかっこいいでしょ？

他にも、スターファインダーは音声言語を持たず、体表面の色を変化させることで会話するとか、男女比が一対二〇だとか、女性が男性より大きくて知能も高いので、社会の指導者層は女性だけで構成されているとか、いろんな設定を考えました。そのうちのいくつかは、ラスト近くで明かされる真相の伏線になっています。

誤解しないでいただきたいのですが、僕はここまで詳しい設定をいつも作っているわけではありません。『UFOはもう来ない』は特別です。ファースト・コンタクトものの長編だから、スターファインダーの背景を詳しく設定しないと、彼らをリアルな異星人として描けない。そう確信して、凝った設定を考えたのです。

繰り返しますが、設定やプロットを練ること自体は、何も悪くありません。だめなのは、「不要な設定を練ること」と「設定を練ってばかりいて書き出さないこと」です。話を面白くする設定なら、いくらでも練るべきです。

たとえば僕がまだグループSNEにいた一九八九年頃に書いた「ジェライラの鎧《よろい》」という中編があります。（短編集『レプラコーンの涙』〈富士見ファンタジア文庫〉に収録）グループSNEが展開していたテーブルトークRPG『ソード・ワールド』の小説版で、駆けだしの女騎士と、鎧職人の少年のラブストーリーでした。

後半、少年は彼女のために最高の鎧を作ります。問題はその鎧のデザインです。小説中では具体的にその形状を描写しなくちゃいけないんですが、このプロットからすると、ありきたりの鎧じゃいけません。オリジナリティのあるデザインでないと。

この頃、『聖闘士星矢』や『鎧伝サムライトルーパー』といった〝鎧もの〟のアニメが流行《はや》ってたんですが、僕はそのデザインに不満を抱いていました。見た目を重視してデザインされているので、実用性に欠けているんです。「これ、肩の関節、上がるのかな？」とか「腰が曲がるのか？」とか、疑問を抱くことが多かったんです。

もちろんアニメの世界観ならそれでもいいんですが、「ジェライラの鎧」はもうちょっとリアルな世界観にしたかったんです。でも、イラストレーターさんにデザインを丸投げするのは不安でした。間違って、実用性に欠ける鎧を描かれるかもしれませんし。

そこで、自分で鎧のデザインをやりました。「ここの関節はちゃんと動くか」とか「腰の動きを阻害《そがい》しないか」とか「この部分、敵の剣が当たった時に、滑《すべ》った刃先が肌を傷つけないか」とか「トイレに行く時はどうするんだ」とか（笑）、細かいところまで考えながら、紙に何十枚もスケッチしたんです。ようやく満足できるデザインができたので、執筆に取りかかることができました。

そのデザインは、書き上がった小説といっしょに編集部に送りました。イラストレーターの米《よね》田《だ》仁士《ひとし》さんがそれをクリンナップして表紙画にしていただいたので、当時、大感激したものです。

普段、異世界ファンタジー小説を書く時に、いちいち鎧のデザインなんかしませんよ。この場合は、ストーリー上、鎧のデザインが重要なポイントだったので、手を抜くことができなかったんです。

実は〈MM9〉シリーズでも、登場する怪獣はすべて、執筆前にいちいち自分で絵を描き、検討しています。読者の目には触れなくても、これも執筆に必要な作業だからです。

犬だったら、「大きな黒い犬だった」と書けば、読者は誰でもイメージできるでしょう。でも、怪獣はそうはいきません。「大きな黒い怪獣だった」と書いても、具体的にどんな怪獣なのかさっぱり分かりませんよね？　だからまず絵にしてみて、自分の中のイメージを固め、それをさらに文章にして読者に伝えるというプロセスを踏みました。

また、デザインしているうちに気づいてくることもあります。たとえば『MM9』のクライマックスに出てくるMM9級大怪獣クトウリュウ。最初はストレートに日本神話の八岐大蛇《ヤマタノオロチ》にする予定だったんですが、いくら描いてみてもかっこよくならない。首はともかく、胴体の部分に何もアクセントがなくて、間延《まの》びした印象になっちゃうんです。

キングギドラの場合は、三本の首だけじゃなく、背中の巨大な翼があるおかげでデザイン的なバランスが取れています。でも、八岐大蛇に翼をつけたらもろにキングギドラになってしまうので、それもまずい。翼以外に、何かつけるものはないのか……。

悩んだ末に、八岐大蛇ではなく、『ヨハネの黙示録』に出てくる〝獣〟にすることを思いつきました。多頭龍《たとうりゅう》の上に女がまたがっているデザインって、インパクトがあるんじゃないかと。

描いてみたら、なかなかかっこよくなったので、さらに何枚もスケッチしてデザインを完成させ、それを見ながら執筆にかかりました。つまり八岐大蛇から黙示録の獣への設定変更は、怪獣のデザインを絵に描いてみたおかげなんです。

シリーズ中に出てくる他の怪獣も、みんな執筆前に絵にしています。第三話のグロウバット、第四話のメガドレイクなんかは、かなりすんなり決まったんですが、『MM9－invasion－』のゼロケルビン、『MM9－destruction－』のゴウキングやメカモグラやギガントあたりはかなり難航したデザインで、どれも納得いくまで何十枚もスケッチを重ねました。特にゴウキングは分離・合体、メカモグラは変形するのが厄介でした。

そうやって絵を描きながら、「こいつはどうやって登場させたらいいか」とか「どういう戦い方をするのか」といったアイデアを練ってゆくわけです。だから、執筆をさぼっているわけではなく、こうした設定作りがちゃんと執筆作業に反映され、話を面白くする役に立ちました。

反対に、話を面白くしないので、設定を省略したこともあります。

『地球移動作戦』では、太陽系外から飛来した天体シーヴェル（質量は地球の六二〇倍）が地球にニアミスした場合、どれぐらいの潮汐力が何時間作用するか、シーヴェルの引力にひきずられて地球の軌道がどれぐらい変わるのか、その被害を最小限にするためには地球をどの方向にどれぐらい移動させなくてはならないか……といったことを、執筆前に計算しました。ノートに何十ページも、びっしりと。

問題は月をどうするかです。月を地球といっしょに動かすのは、いろいろと無理がある。そこで本番の地球移動作戦の前に、まずリハーサルの意味で、月を動かして地球から離しておくことにしました。シーヴェルの通過後、地球の軌道は変わるけど、月もシーヴェルの引力に引っ張られて戻ってくる。どこかで地球と月がランデヴーするようにあらかじめ決めておいて、最も接近した時に月をつかまえ、元通り地球を回る軌道に乗せる……という方法を考えました。

でも、この計算、僕には難しすぎて手に負えません。いえ、ものすごくがんばればできるかもしれませんけど、その努力がこの小説の完成度に反映されるとは思えなかったんです。

悩んだ末に、この「月移動作戦」の計算はしないことに決めました。原理的に可能であることは分かっているし、そもそも、この話の見せ場は地球を移動させるシーンなんだから、リハーサルの部分を描く必要はないはず。そこは省略して、「やってみたらうまくいきました」という感じの簡単な説明だけで済ませても問題ない……と判断しました。

『地球移動作戦』の中には、こんな風に設定を省略した部分が、他にもいくつもあります。読者を楽しませることに貢献しない設定は、作る必要はないんです。

もっとも、何が「読者を楽しませる」のかという点は、僕もいつも悩みます。設定を省略しすぎると、すかすかな内容になってしまいます。逆に、がんばって作った設定があんまり読者に喜んでもらえなくて、がっくりきたこともあります。

だから「どこを切り捨てるべきか」という見極《みきわ》めは、作者が自分の主観で判断するしかありません。

また、設定を練る際に注意すべき法則があります。法則というより、僕の経験則ですね。僕の場合、これに従えば、上手くいくことが多いんです。

「穴を埋めれば宝が見つかる」

穴というのは設定の穴です。設定の欠陥を見過ごさず、こまめに埋める作業をやっていると、そこから思いがけず面白いアイデアが浮かんで、話が広がってゆくんです。

たとえばアイラ・レヴィンの『ブラジルから来た少年』（ハヤカワ文庫ＮＶ）という小説があります。詳しくストーリーを書いてしまうとネタバレになるので、なるべく曖昧な書き方をしますが、要するにクローン人間の話です。

クローンの出てくるフィクションはたくさんありますが、その多くは、設定に大きな欠陥がありました。クローンはオリジナルとまったく同じ人間になるとしているのです。実際にはクローンはオリジナルの人間と同じ遺伝子を持つというだけで、記憶まで受け継ぐことはありません。一卵性双生児のように、容姿は似ていても違う記憶を有するのです。当然、性格や思想まで同じになるという保証はありません。

レヴィンはその設定の穴を埋めてきました。それも、突拍子もない方法で！　誰が何の目的でそんなことをするのかという点も、きっちり説明をつけています。非人道的で、ものすごく狂ってはいるんだけど、論理的にも科学的にも（いちおう）もっともらしくて、確かにこいつらならこういうことをやりかねないな、と思わせる物語を創り上げたんです。未読の方はぜひ読んでみてください。唖然《あぜん》となりますから。

僕の場合、『神は沈黙せず』が「穴を埋めたら宝が見つかった」という好例です。

前にも書いたように、この小説のメインアイデアは、「この世界は現実ではなく、コンピュータの中に創られたシミュレーションである」というものです。このアイデアは僕が最初に思いついたわけではなく、すでに何人もの作家によって書かれていました。

でも、それらの作品の設定には大きな穴がありました。「この世界をまるごとシミュレートするなんて無理」という点です。人間一人をコンピュータの中に再現することさえ、現代の科学技術では不可能です。まして世界全体をそっくり再現するとなると、いったいどれだけのマシンパワーが必要になるのか。ちょっと想像がつきません。

この穴をどうやって埋めるか。僕が考えたのは、「人類にはまだ無理でも、もっと高度な科学力を持つ存在ならできるのでは？」ということです。神のような能力を持つ超知性体が作ったウルトラ・スーパー・コンピュータということにすれば、設定の問題点は回避できるんじゃないだろうか……？

そこでふと、思いつきました。

「あれ？　『神のような能力を持つ超知性体』なんて回りくどいこと言わなくても、ストレートに『神』と言っちゃっていいんじゃないか？」

こうして、「この世界は神が創造したコンピュータ・シミュレーション」という基本設定ができました。でも、まだ埋めなくてはいけない大きな穴がいくつもあります。

穴：「この世界がシミュレーションだとしたら、その中にいる僕らはそれに気がつかないんじゃないか？」

↓

埋める：「シミュレーションの中にいる僕らは物理法則に従うしかない。物理法則を超越した現象を起こせるのは、この世界の外にいる神だけである。つまり幽霊やＵＦＯなどの超常現象はすべて、ここがシミュレーションの中だという証明である」

穴：「超能力の存在はどう説明するのか？　物理法則を破れる能力を持つ人間がいるなら、『物理法則を超越した現象を起こせるのは神だけ』という前提が崩れるのではないか？」

↓

埋める：「スプーン曲げなどの超能力は、人間が起こしているのではなく、人間の意志とは無関係に神の意志で起きるものである」

穴：「なぜ神はそんな現象を起こすのか？」

↓

埋める：「人間とコミュニケートするため」

穴…「ならなぜ、神はもっとストレートに人間に語りかけてこない？」
↓
埋める…「神はあまりにも人間と異質なので、言語による意思疎通は困難だから」
↓
穴…「『この世界』というけど、それはどこまでの広さを指すのか？　この地球だけか？　それとも人間の住んでない太陽系外惑星なども、みんな作られているのか？」
↓
埋める…「月には人間が行ったことがあるから、月は作られているに違いない。太陽系内の惑星にはどこも人間が到達する可能性があるから、あらかじめ作ってあるはず。しかし、太陽系外の天体には、生身《なまみ》の人間は生きてたどり着くことはできない。つまり太陽系外の空間や天体までシミュレートする必要はない。太陽を中心に半径一光年ぐらいの空間だけが存在していて、その外側には何もないと設定すればいい」

他にもまだいろんな穴があるんですが、僕はそれらをひとつひとつ潰《つぶ》していきました。『神は沈黙せず』に出てくる設定は、ほとんどすべて、穴をふさぐためのものなんです。

〈MM9〉シリーズも同様です。これは現代日本にそっくりだけど、巨大怪獣が昔から生息していて、頻繁に怪獣災害が起きている世界の物語です。

この設定の穴は何かというと、言うまでもなく「巨大怪獣なんて存在しない」ということです。

たとえば人間の身長の一〇倍の巨人を考えてみましょう。そんな巨人が本当にいたなら、その断面積は人間の一〇〇倍、体重は一〇〇〇倍のはずです。人間の一〇〇倍の断面積で一〇〇〇倍の荷重《かじゅう》を支えるわけですから、筋肉や骨の単位断面積あたりにかかる荷重は、人間の約一〇倍。この巨人が両脚で立とうとするのは、人間が自分の体重の九倍の荷物（体重五〇キロの人なら四五〇キロ）を背負って立ち上がるようなものです。無理ですね。

これが現実に巨大怪獣が存在しない理由です。物理法則によって禁じられているんです。もちろん、これまでの怪獣映画などでは、こんな設定の穴は気にしていませんでした。理屈を無視し、「怪獣はいるのだ」という前提で話を創っていました。

僕はその設定の穴を埋めようと思いつきました。怪獣が存在するとしたら、その世界では、物理法則自体が我々の住むこの世界と違っていると考えるしかありません。

そこで〈ＭＭ９〉では、「多重人間原理」という架空理論をでっち上げました。〈ＭＭ９〉の世界には、我々の世界と物理法則が異なる〝神話宇宙〟が重なって存在している。怪獣は神話宇宙に属する存在なので、我々の世界の物理法則は通用しないのだ……というものです。

これで怪獣が存在する説明はつきました。でも、まだ穴は残っています。

穴：「昔から怪獣災害が頻繁に起きている世界の歴史が、この世界の歴史とそっくりだなんて、ありえないいんじゃないか？」

この問題はかなり悩みました。昭和二九年に『ゴジラ』のような事件が実際に起き、東京が火の海になっていたら、それ以後の歴史は、僕らが知っている歴史とはまったく違ったものになっているはずです。

考えた末に、こんな屁理屈を考えつきました。

埋める：「〈MM9〉世界では神話宇宙は衰退《すいたい》しつつあり、やがて完全に消滅して、神話宇宙の存在しない世界が誕生する。その際に過去も書き変わり、怪獣は昔から存在していなかったことになる。すなわち、我々の世界は〈MM9〉世界が変化したものである。だから似ているのは当然。怪獣映画や特撮番組は、〈MM9〉世界で実際に起きたことで、それがこの世界ではフィクションになっている」

この設定のおかげで、話の幅がぐんと広がりました。たとえば怪獣災害を起こそうと企《たくら》む悪役の伊豆野《いずの》の動機は、神話宇宙の衰退を食い止めるためだと説明がつきます。

実は最初の〈MM9〉を書いた時点では、この世界に異星人や宇宙怪獣は存在するのか、まだ決めていませんでした。神話宇宙の衰退が地球でだけ起きていることなら、他の惑星ではどうなっているのか、うまく説明がつかなかったからです。

しかしその後、またもこういう屁理屈を考えつきました。

埋める：「この宇宙には、我々の地球のように神話宇宙が完全に衰退した星と、逆に神話宇宙が優勢の星がある。神話宇宙が衰退する前の地球には、しばしば他の太陽系からの侵略が起きていた。しかし現在の我々の地球では、相対性理論が支配しているので、宇宙船や宇宙怪獣は光より速く移動できない。超光速で飛んでいた宇宙船は、地球に近づくにつれ速度が落ち、ついにはそれ以上進めなくなる。そのため、我々の地球には、太陽系外から異星人や宇宙怪獣がやってくることはない」

こういう設定を導入したことによって、異星からの侵略を描いた『MM9－invasion－』や『MM9－destruction－』が書けるようになりました。

結局、設定の穴を埋めるために考えついた「多重人間原理」という架空理論は、話の枠を広げられる便利な道具になってくれたわけです。

他にもあります。前にも書きましたが、『アイの物語』の設定は、ブラッドベリの『刺青の男』からヒントを得たものです。「語り手が全身に刺青をした男と出会う」という『刺青の男』の発端《たん》部を、「人類文明が衰退して廃墟《はいきょ》になった街で、少年がアイビスという名の美少女型戦闘用アンドロイドと出会う」というものに変えてみたんです。

さて、今、さらりと「美少女型戦闘用アンドロイド」と書きましたけど、おかしいと思いませんか？

確かにアニメとかマンガとかライトノベルとかでは、そういうものが普通に出てきますよね。でも、何で戦闘用のロボットが美少女の姿をしているんでしょう？　戦闘用なら、強力な駆動《くどう》系を内蔵しているうえ、防弾のための厚いアーマーを装着しているほうが有利なはず。必然的にごつい体格になるでしょう。わざわざ華奢《きゃしゃ》な少女の姿にする必然性がまったくないんです。でも僕はもう「少年が美少女型戦闘用アンドロイドと出会う」という発端部を思いついてしまっていました。今さらそれを変更したくない。そこで「美少女型戦闘用アンドロイド」という設定の穴を埋めることにしました。

僕が考えたのは、アイビスはもともとバトル・ゲーム用に作られたロボットだということです。美少女型のアンドロイド同士が仮想空間内で戦うゲームがあり、アイビスはそのキャラクターだった。やがて、ある事情によって、創造者からリアルなボディを与えられ、現実世界でも活動できるようになった……という設定です。これなら、外見が美少女であっても矛盾はないですよね。

ゲーム内の架空のキャラクターが、現実の世界に入りこめるようになる——このアイデアを核にして、またいろんな構想が芽生《めば》えてきました。それらをまとめ上げて、『アイの物語』は完成したわけです。これもまた「穴を埋めたら宝が見つかった」例です。

前に触れた『時の果てのフェブラリー』も、同様の経緯で生まれた話です。この場合は「〈スポット〉という危険な異常地帯に一一歳の少女が挑む」という発想が最初にあり、なぜ女の子がそんなことをしなくてはならないのかという設定の穴を埋めるために、オムニパシーという特殊能力の設定を思いついたのです。

あと、『ダイノコンチネント　滅亡の星、来たる』（徳間デュアル文庫）についても触れておきましょう。

この作品のヒントは、子供の頃に観て夢中になった映画『恐竜100万年』（一九六六年）です。

恐竜と原始人が同じ時代に暮らしているという、まことにおおらかな（苦笑）世界観の映画でしたが、これがもう子供心に最高に面白かったんです！　ストップモーション・アニメで動く恐竜たちが生き生きしていて、特に主人公トマクがアロサウルスを倒すシーンは素晴らしく、何度観ても飽きません。特技監督レイ・ハリーハウゼンの名も、この時に知りました。

僕が子供の頃に感じた、そのわくわく感を再現したかったんです。『恐竜100万年』を最新の古生物学の知識を取り入れてアップデートしたら、面白くならないか？

その場合の最も大きな設定の穴は、もちろんここですね。

穴：「恐竜と人間が同じ時代にいるはずがない」

この解決策はすぐに思いつきました。

埋める：「ジャンボジェットが白亜《はくあ》紀末期にタイムスリップして不時着。物語の舞台はそれから五〇〇〇年後。主人公たちは生き残った乗員乗客の子孫《しそん》である」

ここまでは簡単ですね。さらに、この世界にはまもなく小惑星が落ちてくるという設定にしました。主人公たちはそれを知り、滅亡の危機に瀕《ひん》した世界を救う方法を求めて旅に出るわけです。

そこまで来て、次の問題点にぶつかりました。

穴：「原始人が槍《やり》とか石斧《いしおの》とかで恐竜と戦うのってダサくないか？」

そうなんですよ。『恐竜100万年』みたいに映像作品だったら、特撮映像の素晴らしさで観客を惹きつけることもできるんですが、活字だと難しい。何か他に、戦闘をかっこよく見せる派手な要素が欲しいところです。

そこで考えました。

埋める：「この世界の住人たちは〈ギフト〉と呼ばれる超能力を持っていて、それで恐竜と戦っている」

でもまたすぐに問題点が浮上します。

穴：「人間が超能力で遠隔から攻撃できるのなら、飛び道具を持たない恐竜に対して有利すぎないか？　スリルがなくて盛り上がらないのでは？」

またこんなアイデアを考えます。

埋める：「ギフトは基本的に、自分自身、もしくは接触した相手に対してしか発動しない」

このアイデアに合わせて、即座にギフトの種類と設定を考えました。インデューサー（誘導者）は目に見えない〝キ〟の力を操れる。戦闘時に手の平やつま先から一気にキを放出することで、触《ふ》れた敵に打撃を与えられる。ソアラー（滑翔者《かつしょう》）は自分の体にかかる重力をゼロ近くまで減らし、高くジャンプしたり風に乗って空を飛んだりできる。リフター（浮揚者）は接触したものにだけ作用するサイコキネシス能力を持ち、手で触れるだけで、自分の体重の何倍もある物体を持ち上げ、振り回せる。プロテクター（防護者）は体の表面にバリヤーを張って、攻撃のダメージを軽減できる。タッチャー（触心者）は他人に触れることで相手の精神に接触し、知能の低い動物であれば操れる……といった具合です。

つまり、インデューサーにせよリフターにせよタッチャーにせよ、戦闘では基本的に相手と接触しなければいけない。超能力があっても、遠隔攻撃はできないと設定したわけです。これなら恐竜と戦うのにも近接戦闘が不可避ですから、油断をすれば大怪我をしてしまう。十分にスリルのある戦いになるはずだと考えました。

ではなぜ、この時代の人間は〈ギフト〉などというものを持っているのか？　実は地球上には二億五〇〇〇万年前の古生代二畳紀に太古種族《エインシャント・ワンズ》という種族がいたと設定しました。サソリに似た節足動物で、視力は人間より劣《おと》っていて、遠くのものをはっきり見ることができなかったが、触覚は人間よりはるかに発達しており、触覚を中心にした科学文明を築いていた。彼らが遺《のこ》した機械が白亜紀にはまだ動いていて、人間のような知的生命の意思に反応して、エネルギーを供給してくれている……。

この他にも、

穴：「なぜこの世界の住民は石器時代まで退行してるんだ？　鉱石が見つからないから鉄器が作れないとしても、黒色火薬ぐらいなら作れるんじゃないのか？」

といった謎に対しても、いちおう回答は考えてたんですよ、ええ。

ただ、あいにく人気が出なくて打ち切られたので、それらの設定を作中で披露する機会がありませんでした。もっと先の巻の展開まで、いろいろ構想はしてたんですが。

発表したのは二〇〇九年ですが、その後、ご存知の通り、恐竜のイメージに劇的な変化が生じたので（想像図がもうみんな鳥みたい！）、内容がすっかり古くなってしまいました。愛着のある話なんで、できればリセットして、最初からやり直したいところではあります。

世の中にはこのように、穴のある設定はまだまだたくさんあるはずです。あなたも穴を見つけたら、とりあえず埋めてみることを考えてみましょう。思わぬ宝が見つかるかもしれませんよ。

キャラクターは
レイヤーで考える

■キャラクターはレイヤーで考える

この章ではキャラクターの創り方について説明しましょう。

今さら言うまでもありませんが、作家によって小説の書き方はみんな違います。キャラクターの創り方にしても、人によっていろいろです。

たとえば、キャラクターの台詞や行動をいちいち考える必要がない、という作家さんがいます。〈パラケルススの娘〉シリーズ（MF文庫）や〈クォンタムデビルサーガ〉シリーズ（ハヤカワ文庫JA）の五代《ごだい》ゆうさんなどがそう。ご本人によれば、小説を書きはじめたら、キャラクターが勝手に喋って、勝手に動いて、勝手に話を進めてゆくのだそうです。いちおう執筆前にプロットを書いて、編集者に見せるんですが、完成した小説のストーリーはまったく別物になっていることも多いとか。

実はこういうタイプの作家さんは何人もおられます。僕は〈イタコ型〉と呼んでいます。恐山《おそれざん》のイタコみたいに、キャラクターの霊が憑依《ひょうい》して小説を書かせるんです。オカルトみたいですけど。

五代さん以外にも、ご本人に直接確かめたわけではありませんが、作品を読んでいると、「この人はイタコ型だな」と気づくことがあります。キャラクターが明らかに作者の決めた通りに喋ってるんじゃなく、「俺に喋らせろ！」と強く自己主張している小説です。

同じ作家として、こういうタイプの人は本当に羨ましいです。キャラクターを創造する苦労がないんですから。あなたがイタコ型だとしたら、僕としてはお教えすることは何もありません。キャラクターにまかせて、自由に活躍させてあげてください。

ただ、あいにくイタコ型というのは、どうも生まれつきの才能らしいんですよね。まねしようと修業しても、身につけられるようなものじゃないし、そもそもどうやってまねしていいかも分かりません。だから僕ら凡人は、地道に書いていくしかないんです。

もう三〇年以上前、まだアマチュアだった頃、関西にあった創作サークルに入っていました。そのメンバーの一人にGという男がいました。

彼の小説は奔放《ほんぽう》さに欠けるところはありましたが、きわめて堅実で完成度が高く、そのまま商業誌に載ってもおかしくないようなものばかりでした。実際、商業誌に投稿もしていました。サークルの中で最もプロに近い一人だったと言えるでしょう。

そんな彼の小説には致命的な弱点がありました。

キャラクターが描けてないんです。どの人物も平板で、魅力がありません。情念とか魂とかいったものがまるで感じられず、生きた人間のように見えない。単に作者の決めたシナリオに従って喋っているだけだということが、ありありと分かっちゃうんです。

なぜ彼はこんなにキャラクターの描き方が下手なんだろう……と、ずっと不思議に思っていたのですが、ある時、Gの創作の手法を知って仰天しました。

Gは占星術に凝《こ》っていて、それをキャラクター作りに応用していたんです。まずキャラクターの生年月日を決め、ホロスコープを作成。それを基《もと》にキャラクターの性格を決め、箇条書きにしてゆく――というんです。

「それだぁ！」

僕はGのキャラクターに魂がこもっていなかった理由を知りました。そして、彼を反面教師として、自分は決してそんな手法は使うまいと心に決めました。

Gの手法はどこが間違っていたんでしょうか？

占星術が好きなことは、べつにどうでもいいんです。問題はキャラクターの性格を箇条書きにしていたことです。それは絶対にやってはいけないことです。

なぜなら、**性格を箇条書きにしたとたん、キャラクターは死ぬからです。**

たとえば僕自身の性格を考えてみましょう。やけに細かいところにこだわることが多い反面、きわめて大雑把なところもあります。いつもネガティヴな考え方をしていて、ちょっとした失敗を何年もうじうじと悩み続ける一方、すごく楽天的でもあります。人づき合いが苦手で、他人とは距離を置きがちですが、いったん親しくなった人とは頻繁に交流します。けっこう自信家で目立ちたがり屋ですが、同時に劣等感も強いほうで恥ずかしがり屋……と、矛盾だらけなんですよ。

あなたもおそらくそのはずです。人間はみんな、ひとつの人格の中に、いくつもの矛盾した側面を抱えているんです。箇条書きにできるようなものじゃないんです。

仮にあなたが、自分の小説のキャラクターを、「陽気」と設定したとしましょう。でも、どんな状況でも常に陽気な人なんていませんよね？　日常生活の中で陽気な面を見せることが多いというだけで、機嫌が悪くなることや、落ちこんだりすることもあるはずです。

あるいは「勇敢」と設定したとします。でも、いつも勇敢な人間なんていません。ものすごく危険な状況に陥ったら、恐怖に震えたり、泣き叫んだり、絶望したりするのが人間というものです。どんな状況でも常に一貫した性格を保《たも》ち続けられる人間なんて、それはもう人間じゃありません。

そう、人間は矛盾だらけです。そして、そういった矛盾する部分――「その人らしくない」と思える部分こそが、キャラクターに人間的な深みを与え、生きているように感じさせるんです。

「キャラクターはイメージが壊れる瞬間が最も魅力的である」というのが僕の持論です。最初に、キャラクターがどういうタイプの人間なのかを読者に印象づける。次に、そのキャラクターの意外な側面を見せて、第一印象を壊すんです。

『MM9』の場合、気象庁特異生物対策部（通称、気特対《きとくたい》）の久里浜祥一《くりはましよういち》部長がそうした例です。彼は最初から一貫して、典型的な中間管理職キャラクターとして描いていました。日本を怪獣災害から守るという重要な役職なのですが、失敗して大きな被害を出したりマスコミに叩かれたりするんじゃないかと、いつもびくびくしていて、そのストレスから胃を痛めています。部下や専門家と交わす会話も、常に悪い結果を想定していて、小心者であることがありありと分かります。

読者としては不安になりますよね。「こんな人に怪獣対策をまかせてだいじょうぶなの？」「ここぞという場面で大きな失敗をやらかすんじゃないの？」と。

もちろん、読者にそう思わせるのは作者の計算のうちです。

久里浜には、そうしたイメージをぶち壊す見せ場を最終話で用意していました。ＭＭ９級大怪獣を暴れさせて日本に大災害を起こそうと企むテロリストに、彼はこんな啖呵《たんか》を切るのです。

「気象庁を舐めるなあ！」

頭を押さえて床にうずくまっている伊豆野《いずの》に、久里浜は侮蔑《ぶべつ》の言葉を投げつけた。

「一人でも多くの人間を災害から救うのが、気象庁職員の務めだ！　人間原理だか何だか、そんなこと知ったことか！　怪獣災害は防ぐ！　防いでみせる！」

どうです？　久里浜を最初から決断力のある有能な人物として描いていたら、この場面はこんなにかっこよくなったでしょうか？　ずっと「こいつは無能なんでは？」と読者に疑わせ続けてきたからこそ、いざという時にこういう思いがけない台詞が引き立つんです。

これはマンガの世界では昔から使われている手法です。よくあるのが、「不良少年が雨の中で子犬を拾う」というやつです。それまで少年を「嫌なやつ」「乱暴者」と思って嫌っていたヒロインが、子犬をかわいがる彼の意外な側面を見て、キュンとなってしまう。わりとお手軽にキャラクターを印象づけられる手法なので、多用されています。

いわゆる「ツンデレ」もその一種です。やけに勝ち気で、いつも主人公に突っかかってくるヒロインが、主人公への好意が芽生えると、言動の端々《はしばし》にその想いが見え隠れするようになる……

います。

単なるツンデレのように見えて、実は……という、もう一層ぐらいの壊れ方を設定すべきかと思

リになっています。そのまま使うのは避けたほうがいいでしょう。たとえば「ツンデレ」の場合、

もっとも、近年では「雨の中で子犬を拾う」も「ツンデレ」も、すっかり使い古されてマンネ

というやつです。

こんな風に僕の小説では、「キャラクターのイメージが壊れる瞬間」をあらかじめ設定してい

る場合がよくあります。

『神は沈黙せず』のヒロイン・和久優歌《わくゆうか》も、最初からそういう設定を仕掛けておきました。彼女

は少女時代、両親が災害で突然死した衝撃で、心を閉ざし、現実から逃避するようになります。

「この世界は長い夢にすぎない。いつか本当の世界に目覚める日が来る」と信じるようになっ

たのです。しかしそのせいで周囲とはうち解けず、中学時代には女生徒たちからひどいいじめを

受けます。ずっと耐えに耐えてきた彼女ですが、ある時、ついに反撃に転じます。

私は今まで何を待っていたのだろう？　何のために耐えていたのだろう？　いくら待ったっ

て目覚めの日なんてくるはずがない。いくら耐えたって神様は助けてくれるはずがない。

もうたくさんだ、自分の不幸を隠れ蓑《みの》にするのは。もうやめた、無抵抗で運命に流されるの

は。現実から顔をそむけたりはしない。堂々と立ち向かってやる。

私はリーダー格の少女に殴《なぐ》りかかった。ビンタなどという優しいものではない。グーで、顔

面を狙《ねら》って、力いっぱい殴った。反撃が来るとは予想もしていなかったらしく、私の一撃は見事にヒットした。彼女はよろめいてぶざまにひっくり返り、盛大に鼻血を流した。

「今度は目を潰《つぶ》してやるよ」

驚き、たじろいでいる他の二人に向かって、私は二本の指をVサインのように突き立て、低い声ですごんでみせた。

「残りの一生ふいにする覚悟があるなら、かかってきな」

それまでずっとおとなしく堪《た》え忍んでいた少女が、いきなり怒りを爆発させて豹変《ひょうへん》するというのは、自分ではすごく印象的でかっこいいシーンだと思っています。

『神は沈黙せず』では、超常現象研究家の大和田《おおわだ》省二《しょうじ》老人も、キャラクターが壊れるシーンをあらかじめ想定していた一人です。彼の場合、最初の登場シーンからずっと、常に微笑《ほほえ》みを浮かべている温和な人物として描いてきました。

その大和田が後半、〈神の代理人〉を名乗る自称・愛国者たちに取り巻かれ、吊《つる》し上げられそうになる場面があります。その時、大和田が逆ギレして、彼らに対して大演説をぶつのが、後半の見せ場のひとつです。

「愛国心とはなんぞや!?」

老齢にもかかわらず、彼はびっくりするほど大きな声を張り上げた。感情がみなぎっているのか、全身をぶるぶる震わせている。その顔は私が一度も見たこともなく、想像すらしたことのないもの――憤怒《ふんぬ》の表情を浮かべていた。

「いや、愛とはなんぞや!?」

彼は体育会系の男の顔に、びしりと杖を突きつけた。

「お前！」

「へっ？」

男は老人の思いがけない勢いにたじろぎ、一歩しりぞいた。

「もしお前の前に不細工な女が現われて、『私を愛するのがあなたの義務です、さあ愛しなさい』と命令したら、お前はそれに従うのか!?」

「それとこれとは……」男は狼狽《ろうばい》し、声が小さくなった。

「いいや、同じだ！」大和田氏は狼狽している〈神の代理人〉たちをぎろりと見回した。「愛というのは自発的に生まれる感情だ。男と女が愛し合うのも、親と子供が愛し合うのも、誰かに命令されたからではない。子供に愛されるような正しい親であれば、子供は自然に親を愛する。子供を虐待《ぎゃくたい》したり放任するような親は憎まれて当然。そんな親を愛さなくてはならない義務など、子供にはない！

国家も同じだ。愛国心は義務ではない！　住み良い素晴らしい国家を作れば、国民は自然に国家を愛する。愛される国家を作るために努力するのは正しいが、『国家を愛せ』と強要するのは本末転倒もいいところだ！」


この後、彼の兄が戦争中、沖縄戦で特攻によって亡くなったという過去が語られます。大和田は子供の頃、日の丸を振って兄を死地に送り出したことを、ずっと悔やみ続けていた。そのトラウマを刺激されたことで、一気に感情が爆発したわけです。

（言うまでもないですが、このシーン、前半で優歌がいじめっ子たちに逆襲するシーンとダブるように、計算して書いています）

それまでずっと大和田老人を温厚な人物として描いてきたからこそ、実は彼の中にも熱い怒りの感情があったことが明らかになって、読者の印象に残るわけです。最初からこんな喋らせ方をしていたら、衝撃もなかったでしょう。

西尾維新さんの小説、『化《ばけ》物語』からはじまる〈物語〉シリーズ（講談社ＢＯＸ）は、アニメにもなった人気作です。主人公の少年・阿良々木暦《あららぎこよみ》と、それぞれに怪異と因縁のある少女たちが織《お》りなす物語です。

ちょうどアニメの一期の放映が終了して、人気が盛り上がっていた頃、あるアニメショップで女性キャラクターの人気投票をやっていて、その結果が店内に張り出されていました。一位は千《せん》石撫子《ごくなでこ》でした。僕はそれを見て、非常に不満を抱《いだ》きました。

「何で？　撫子って単にかわいいだけじゃん！」

そう、〈物語〉シリーズに登場する他の女の子はみんな、明らかに性格が矛盾してるんですよ。戦場ヶ原《せんじょうがはら》ひたぎは暦を熱愛しているけども、彼に会うたびに毒舌を吐きまくります。八九寺真宵《はちくじまよい》は快活そうな女の子ですが、実は悲しい過去があります。羽川翼《はねかわつばさ》は品行方正で完璧な優等生ですが、実はけっこう怖い性格です。神原駿河《かんばるするが》も表面的にはポジティヴで明るそうなんだけど……といった具合。外見や言動はかわいくても、性格がどこか歪《ゆが》んでいる。そこが魅力的なんですよ。でも千石撫子は本当にかわいいんです。かわいいだけなんです。レギュラー女性陣の中で、最も個性に欠《か》けていて、深みが感じられない。それなのにファンの人気は高い。「みんな見る目がないなあ」と、僕はぼやいていました。

ところが。

シリーズ第七弾の『囮物語《おとりものがたり》』の中で、撫子のイメージは壊れます。実に盛大に、徹底的に、跡形も残らないぐらいに。

作者の西尾さんはいつか彼女のイメージを壊すことを前提に書いていたんでしょうね。だから彼女のイメージをぶっ壊すことにした。それまで撫子をかわいいだけの女の子だと思いこみ、愛《め》でていたファンの一部は、絶望の底に突き落とされたことでしょう。

お間違えなく。僕は西尾さんの手法を全面肯定しているわけではありません。ただ、こういうキャラクターの創り方もあっていいと思ってるんです。特に、後から設定をつけ加えることで、キャラクターに対するそれまでの解釈をどんどん変えてゆくところは、読んでいてエキサイティングです。

僕は西尾さんの作品から、キャラクターへの愛を感じます。最初に劇的な登場をさせて、読者に印象づけた後、それで満足せず、「このキャラクターはこんな薄っぺらじゃないはずだ」「もっと奥に何かを秘《ひ》めているはずだ」と、最初のイメージを次々にぶち壊しながら掘り下げてゆく。それはまぎれもなく愛だと思っています。

逆に愛を感じられないのは、最初からキャラクターの設定をきっちり決めてしまう作家です。

話がいくら進んでも、キャラクターの印象が第一印象からちっとも変わらない。これはあまり魅力的とは言えません。

だってそうでしょう？　キャラクターはストーリーと独立して存在しているものじゃないんです。キャラクターの行動がストーリーを進めてゆく一方、キャラクターはストーリーに深い影響を受けています。意外な真相を知ってショックを受けたり、悲しい目に遭って落ちこんだり、ピンチに陥って動転したり……そのたびに、彼または彼女の内面は確実に変化してゆくはずです。**キャラクターとストーリーは歯車のようにしっかり噛《か》み合って動き続けるものなんです。**

そして作者自身のキャラクターに対するイメージも、書き進むにつれてしだいに変化するはずです。

キャラクターの性格や考え方は、創造した当初は、作者である僕にもよく分かっていません。最初に、どういう性格なのか大雑把に決め、書き出します。重要なシーンになるたびに、「この状況でこいつはどう言うんだろう？」とか「どんな反応を示すんだろう？」とか考えながら、少しずつ性格を完成させてゆくんです。

たとえば、最初はちょっと内気そうで口数の少ないキャラクターと設定して書きはじめても、書いていくうちに「何か違うな」「こうじゃないな」と気がついて、だんだん台詞を多くしてゆく。それにつれて、最初に設定した性格もしだいに変わってゆく……ということがよくあります。〈ＢＩＳビブリオバトル部〉シリーズの場合、輿水銀《こしみずぎん》という男の子が、まさにそれでした。最初はただ、外見がかわいくて、かわいいものが好きで……という、きわめて表面的なイメージで書きはじめたんですが、彼の言動を書いていくうちに、作者も最初は気づかなかったいろんな面が見えてくるんですよ。「あれ？　こいつ、けっこう頭いいんじゃないか？」とか「あっ、こいつ、空《そら》に惚《ほ》れてやがる」とか。

　そこからさらに、銀くんのキャラクターをどんどん掘り下げていきました。二巻では、自分が女子から「かわいい」と思われていることにコンプレックスを抱いていることが判明します。三巻はミステリ仕立てなんですが、銀くんはここでは探偵役で、クライマックスでは、他の誰も気づかなかった事件の真相を見抜いてしまいます。さらには空に告白して、武人《たけと》との三角関係に発展します。いやあ、シリーズを書きはじめた時には、ここまで重要なキャラクターになるなんて予想していませんでした。大出世ですね。

　作者も予想しなかった成長をしたという点では、『神は沈黙せず』の優歌の兄、和久良輔《りようすけ》も忘れるわけにはいきません。

　この作品では、実は小説家の加古沢黎《かこざわれい》に手を焼きました。作者に楯突《たて》くんですよ、こいつ（笑）。やたらに饒舌《じようぜつ》で、放っておくと作者の手を離れて暴走しそうだから、常に手綱《たづな》を握っていないといけませんでした。特に九章、良輔との議論のシーンには困りました。話の都合上、加古沢には議論に負けてもらわないと困るんですが、彼は知能が高いうえに自尊心の強い男なんで、負けることに我慢がならない。「こんな頭の悪そうな台詞、言いたくない」とごねるんです。やむなく、彼の意志をねじ曲げて、喋りたくない台詞を無理に喋らせたりもしました。

　それに対して、良輔はなかなか自分で喋ってくれない。彼の台詞はいちいち「ここでこう言って」と、僕が演技指導してやらねばなりませんでした。性格がつかめないんです。ですから、書いていても「僕が創造したキャラクター」にすぎず、「和久良輔という独立した人格」だという実感がなかなか得られませんでした。

ところが最終章で、驚くべきことが起きたのです。

人工知能研究者である良輔は、世界を創造した神の正体と、その意図を解き明かします。そして、神は人間に対して好意も悪意も抱いていないこと、そもそも個人を認識してさえおらず、ましてや、いくら祈っても願いを叶えてなんかくれないことを知ってしまいます。彼は世界が混乱に陥ることを恐れて、その事実を秘密にしようとします。

それに対し、妹の優歌は真相を世界に告げるべきだと主張します。法律とか正義とか愛とか善とか奉仕とかいった概念は、みんな人間が創造したもの。正しく生きたいと願う人間の想いは本物だし、これまでちゃんと機能してきた。人間は神なしでもやっていける、と。

この会話のシーンは、何年も前からシミュレートしていました。僕の頭の中にシナリオは完璧にできていて、二人はその通りに喋ればいいはずでした。

ところが、そのシーンの終わりで、いきなり良輔がこんなことを言ったんです。


「……本当にそう信じるのか？」兄は私を見つめた。「この乱れた世界を見ても？　殺し合ったり憎み合ったりしている人間たちを見ても？　人は神なしで正しく生きることが可能だと、お前は信じるのか？」

「ええ」私は強くうなずいた。「私は信じる」

「それがお前の信仰か？」

その瞬間、びっくりしてキーを打つ手を止め、モニターの前で固まりました。混乱して、「え？そうなの？」と声に出し、画面の中の良輔に問いかけたのを覚えています。

「それがお前の信仰か？」──これは断じて、僕が考えた台詞ではありません。良輔のアドリブです。その瞬間まで僕がまったく思ってもいなかったことを、彼が口にしたのです。

僕はこの物語を信仰の否定で終わらせようと思っていました。人間は信仰なしでも生きていけると。だから良輔の口から飛び出した言葉は予想外でした。彼は、「人間は神なしで正しく生きることが可能だ」という優歌の考えこそ信仰だと指摘したのです。

僕の最初の意図には反します。しかし、考えれば考えるほど、それは正しい結論のように思えてきました。

悲惨な過去があるために神への信仰を持てなかったヒロインが、ついに自分の信仰を見出す──ジグソーパズルの最後の一片がはまったような気がしました。それでテーマにきちんと決着がつきます。僕は考えた末、良輔のアドリブを採用することにしました。

こうして『神は沈黙せず』はきれいに完結しました。

作者が思いつかなかったことを架空のキャラクターが思いつく──創作をやっていると、ごくたまに、こんなオカルトに出くわすこともあるんです。こういう現象が起きると、作者冥利《みょうり》に尽きますね。よくぞここまでキャラクターが育ってくれたと。

「無口だったキャラが急に饒舌になる」「冷酷だと思っていたキャラに意外にも優しい面があったことが判明する」「おとなしいと思っていたキャラが激怒する」「無能だと思っていたキャラが

実は有能だった」……これらはどれも、ほぼ確実にキャラクターを輝かせることができる黄金パターンです。

ずっと同じ高度を飛び続ける飛行機より、急上昇と急降下をダイナミックに繰り返す飛行機のほうが、ずっとエキサイティングです。キャラクターもそれと同じ。無口だったり無能っぽく見えるキャラクターに、読者は最初のうちあまりいい印象を受けないかもしれません。

しかし、その評価をマイナスからプラスに一気に急上昇させることができればしめたもの。最初からずっと一貫して「いい人」であるより、途中から「実はいい人だった」と判明するほうが、より魅力的に見えます。**読者のキャラクターに対する印象の振れ幅を大きくする**んです。

無論、その逆――「いい人だと思っていたら実は悪い奴だった」とか「実はダメな奴だった」というパターンもあります。

僕の小説のキャラクターでは、『僕の光輝く世界』の神無月夕《かんなづきゆう》という女の子が、まさにそれです。最初はおとなしくて真面目で可憐、完璧な理想的美少女として、主人公の光輝《こうき》の前に（そして読者の前に）現われます。障害のある光輝と何の屈託《くったく》もなくつき合うその姿は、まさに天使です。

でも、第二話のクライマックスで、そのイメージは壊れます。実はそれまで光輝に（そして読者に）見せていた顔が、みんな嘘だったことが明らかになるんです。

真相を知らされても、光輝は夕のことを嫌いになれず、つき合い続けます。一方、夕の真意は曖昧《あいまい》で、その後もイメージが揺れ動き続けます。本気で光輝のことが好きなのか、それとも単に彼を利用しようと企んでいるだけなのか、実は作者である僕にもよく分かりません（笑）。彼女の台詞を書きながら、「おいおい夕ちゃん、君、それ本気で言ってんの？」とツッコむこともしばしばありました。

Q.〈作者にもキャラクターの心理が分からないなんてことがあるんですか？〉

はい、しょっちゅうあります。

そもそも考えてみてください。リアルな人づき合いって、そういうものじゃないでしょうか？　テレパシーというものがない以上、他人の心なんてストレートに理解できるものじゃありません。僕たちは、他人の心というブラックボックスを、会話や行動を通して手探りしてゆき、データを積み重ねることで、「この人はこういう人なんだな」というイメージを構築してゆくわけです。でも、構築されたそのイメージが正しいという保証はありません。思ってもいなかったことをその人が言い出して、「え？　この人ってこういう性格だったの？」と驚かされたことは、あなたにもあるはずです。

キャラクターは創造主であるあなたの支配下にある存在ではありません。ロボットのようにコントロールできるようなものじゃないし、そもそも細かい言動のひとつひとつまでいちいちコントロールしようとしてはいけません。ある程度は自由に行動させ、実在する人間と同様、独立した人格として接するべきだと思います。

夕の場合、「天使なのか悪魔なのかよく分からない」というところが魅力です。第二話で本当の自分をさらけ出しましたが、それですべてではなく、まだその先に隠された何かがありそうな気がします。でも僕は、彼女の心理にあまり深く踏みこんで描かないことを心がけました。彼女の本心がどうなのかをはっきり決めてしまうと、逆に魅力が損なわれる気がしたからです。

作者にも彼女の本心が分からないんですから、読者にも分かるはずがありません。だから最終話のクライマックス、夕が光輝を欺《あざむ》いていたんじゃないかと真犯人が指摘するシーンで、「本当にそうなのかも」と動揺した読者も多いんじゃないかと思います。彼女の性格には、そうした解釈を許容するブラックボックスがあるんです。

作者はキャラクターの心理を細かいところまでびっしり決める必要はないんです。むしろ、性格の中に、外からは分からないブラックボックスの部分を残しておくことも必要だと思います。その不明瞭な部分がキャラクターに人間味を与えてくれます。また、後からプロットに手を加えたくなった場合、「実はあの時、彼女はこう考えていたんだ」と、後づけで設定を変更することもできます。

Q.〈キャラクターの設定を最初から決めるのは間違いだ、ということですか?〉

いえいえ、そんなことはありません。小説の内容によっては、書きはじめる前に、キャラクターの背景――両親がどんな人物だったかとか、どんな家庭だったかとか、どこでどんな人生を歩んできたかとかを、緻密《ちみつ》に設定する場合もあります。

先に書いた『神は沈黙せず』の優歌がそれです。この物語は、「神はなぜ無辜《むこ》の人間を苦しめるのか」というのが一貫したテーマです。だからヒロインは、そのテーマを真正面から受け止められるキャラクターでなくてはなりませんでした。だから、優しかった両親を天災で失ったことで、心に傷を負い、神の存在を信じられなくなった女性と設定しました。

優歌の過去は、物語の中でずっと影を落とし続けます。神の存在が明らかになってゆくにつれ、他の大多数の人類はそれを受け入れていきますが、彼女は受け入れられない。「なぜ両親は死ななければならなかったのか」と問い続けるんです。

これがつまり、「ストーリーとキャラクターが歯車のように噛み合う」ということなんです。優歌は『神は沈黙せず』というストーリーに噛み合うように設定したキャラクターです。彼女の過去の設定は、ストーリー上、どうしても必要なものなんです。

それに対し、前に紹介した『ラプラスの魔』のアレックスのような例はまずいです。ストーリーと噛み合っていない設定、それもやけに詳しい設定を作ってしまうと、歯車が噛み合わずに空回りしてしまいます。それはもったいない。だから場合によっては、歯車の空回りを防ぐために、キャラクターの設定を省略することもあります。

僕の場合、『プラスチックの恋人』（早川書房）がまさにそれです。オルタマシンと呼ばれるセックス用アンドロイドが普及してきた時代。成人型だけではなく、未成年の姿をしたオルタマシンも登場します。主人公のルポライター長谷部美里《はせべみさと》は、取材の途中、一二歳少年型のオルタマシン、ミーフと出会い、心奪われます。

オルタマシンは人工知性を持ち、人間と同じように喋ります。しかし、考え方は人間とはかなり異なります。羞恥心《しゅうち》や貞操《ていそう》観念を持ちません。裸を見られても平気なのです。強い打撃を受けるとセンサーが〈苦痛信号〉を発しますが、自分の意志でその信号をシャットアウトすることもできます。つまり虐待を受けても「苦しい」「つらい」とは感じない。

問題はオルタマシン自身ではなく、彼らを見る人間側の視点にあります。オルタマシンが苦痛を覚えているわけではないと、頭では理解できていても、やはり子供が性的虐待を受けている姿を見て、強い精神的苦痛や嫌悪を覚える人たちがいるでしょう。じゃあ彼らを心理的に保護するために、未成年型オルタマシンは禁止すべきなんでしょうか？

難しい問題ですね。読者の間でも意見は分かれるでしょうし、僕も結論を出すつもりは最初からありません。むしろ正解の存在しない問題を提示することで、この問題を多くの人に考えてほしいと思っています。

では、この物語の主人公はどんなキャラクターにすべきなんでしょうか？　最初は『神は沈黙せず』の優歌のように、特殊な過去を持ったキャラクターにしようかと思っていました。小さい頃に性的虐待を受けたとか、少年に性的な関心があるとか。

でも、どんな設定をしても、ストーリーにうまく嚙み合うような気がしません。なぜなら、これはセックスやモラルをめぐる様々なスタンスが衝突する物語であり、特殊な過去や性癖を持つ主人公の視点だけから描くのはフェアじゃないと感じたからです。悩んだ末に、彼女の周囲に特殊な背景を持つキャラクターを何人か配置する一方、美里自身には特殊な背景を持たせないことにしました。すなわち、主人公をほぼ白紙の状態から描いてゆくことにしたんです。話の都合上、何か設定が必要になったら、その都度、追加していこうと。

第一話、美里の初登場シーンです。さて、白紙のキャラクターをどう描けばいいんでしょう？

僕は彼女が怒って、編集者に食ってかかっているシーンから幕を開けようと思いつきました。

「どうしてそんな仕事やんなくちゃいけないの!? この私が！」と。

怒りっぽいキャラクターに見えるよう設定したのは、これから彼女の発言が多くなると予想したからです。それならアグレッシヴなキャラクターにしたほうが便利です。彼女はこれから何度も壁にぶつかり、そのたびに腹を立てて、当たり散らすでしょう。

もっとも、まだ彼女のキャラクターは完成していません。最初は未成年型オルタマシンに嫌悪を抱いていることにしましたが、ミーフに出会って好意を持ち、さらに自分がミーフに性的欲望を抱いていることに気づいてしまいます。でも同時に、未成年型のロボットが性の対象になって虐待されている現実に腹を立て、やめさせなくてはと思っています。早くも矛盾してるんです。

この矛盾した状況の中で、彼女の考え方が揺れ動いてゆくのを描いていこうと思っていました。連載中は彼女がどんなキャラクターになってゆくかは、僕にもよく分かっていませんでした。

Q.〈そうやって小説を書きながらキャラクターを完成させてゆくやり方って、特殊な方法なんじゃないですか?〉

はい、そうです。このやり方ってすごく手間がかかって面倒臭いんです。他の小説では、もっと分かりやすい方法でキャラクターを設定しています。

僕のおすすめは**「キャラクターの性格にレイヤーを設定する」**というものです。

パソコンでイラストを描いたことのある方ならお分かりでしょうが、一人のキャラクターの絵は複数のレイヤー（層）で構成されているのが普通です。輪郭線、肌の色、髪の色、服の模様、影など、いくつものレイヤーが重なって、ひとつの絵になっているわけです。小説のキャラクターも同じで、複数の異なる性格が重なっていると設定します。

最初に読者の前に現われるのは、いちばん上のA層。つまり第一印象です。少し話が進むと、A層がめくれ上がるか、あるいは透けて見えるかして、その下にあるB層が現われてきます。さらに話が進むと、B層の下にC層があることも分かってきます。

〈BISビブリオバトル部〉シリーズの場合、ヒロインの伏木空《ふしきそら》がまさにそれです。最初の登場シーンでは、読書が好きで、内気で目立たず、口数の少ない女の子――クラスメートから「感情の起伏に乏しいタイプ」と思われているようなキャラクターです。

でも、SFの話をしだすと止まらなくなります。クラスメートの埋火武人《うずみびたけと》の家で、彼の祖父が遺《のこ》した膨大なSFコレクションを目にしてからは、すっかり興奮して喋りまくり、「ぶはははは」と豪快に笑ったり、腹を立てたり、悲しんだりと、喜怒哀楽をすべて見せます。つまりB層です。最初からそんな感情豊かな女の子であることを見せるより、第一印象を壊すような意外な面を見せるほうが効果的なんです。

さらに話が進むと、彼女は中学時代に受けたいじめがトラウマになっていることも分かってきます。過去に触れられると激しく取り乱すんです。これがC層。

しかし彼女はいつまでもそのトラウマにとらわれてはいません。その先にはまだ、重いC層を吹き飛ばせるポテンシャルを秘めたD層も潜《ひそ》んでいます。こうして物語が進むにつれて、読者の前に現われる空の性格はどんどん変化してゆきます。

〈C&Y　地球最強姉妹キャンディ〉シリーズは、近未来の世界を舞台に、両親の結婚で姉妹になった二人の少女、竜崎知絵《りゅうざきちえ》と虎ノ門夕姫《とらのもんゆうき》が繰り広げる荒唐無稽《こうとうむけい》な冒険物語です。最初に思いついたのは夕姫のほうです。冒険家の父といっしょに世界を回ってきたので、パワフルで自由奔放、裏表のないシンプルな性格と設定しました。

姉の知絵のほうは、対照的に、もっと複雑な性格にしました。最初に読者の前に現われる知絵は、運動オンチで内気な女の子で、夕姫のめちゃくちゃな行動に振り回されます。これがA層。

でもすぐに、知絵が地球最高のとてつもない天才少女で、大人顔負けの科学知識を有《ゆう》していて、実はけっこうクールな性格であることが明らかになります。これがB層。

さらに第一巻の中盤で、知絵はその才能を悪用して、とんでもない犯罪を重ねてきた大犯罪者であることが判明します。もう最初の「運動オンチで内気な女の子」というイメージはどこへやらです（笑）。

そして最下層。いつも内気だったりクールだったりするように思える知絵が、生《なま》の感情を露《あら》わにします。

これはめったに見せることはありません。知絵は「感情の沸点《ふってん》が高い」と設定しています。ちょっとぐらいのことでいちいち笑ったり泣いたり怒ったりなんかしない。そのために内気だったりクールだったりするように見えるんです。

でも、いちばん奥のレイヤーには強烈な感情が眠っています。そして、感情が高ぶると一気に暴走します。笑う時には大笑いし、泣く時には号泣し、怒る時には激怒します。たとえば二巻のこんなシーン。

夕姫はぞっとなった。ふだん冷静でおとなしい知絵だけに、こんな激しい表情は見たことがない。目をぎらつかせ、みけんにしわを寄せ、歯をむきだして、大声でどなりちらしているのだ。

「お、お姉ちゃん、怒ってるの？」

「ええ、ええ、怒ってるわよ」知絵はぶるぶるとふるえる自分の手を見下ろし、にんまりとぶきみに笑った。「うふふふ……こんなに腹が立ったのは生まれて初めてよ。これが激怒ってやつなのねえ……ふふふふふ……」

知絵はぎゅっとこぶしを握りしめ、空中をにらみつけた。

「そうか、てめえら、そんなに死にたいか……」


この〈暴走モード〉の知絵、書いてててすごく楽しいんですよね。普段の冷静沈着な知絵とのギャップが面白くて。

注意しなくてはいけないのは、この複数のレイヤー、決して「多重人格」ではないということです。レイヤーは普段から重なり合って存在していて、キャラクター自身もそれを自覚しています。外から見えるのはいちばん上のA層だけですが、その下の層も活動を続けていて、それがちょくちょく上からも透けて見えているんです。そのせいで性格が矛盾しているように見えることもあります。でも、そうした矛盾のおかげでキャラクターが複雑になり、深みが出て、魅力的に見えてくるんです。

実は夕姫のほうも、まったく裏表がないわけではありません。自分のことを「ボク」と呼ぶ活動的でボーイッシュな女の子ですが、「実はユニセックスである知絵よりも女らしい」と設定してます。

もっとも、普段、そんな面はぜんぜん表には出しません。作者だけが知っている裏設定みたいなものです。ただ、そういう第一印象と矛盾する設定を頭に入れながら書いていけば、台詞の端々にそれが透けて見えて、キャラクターに深みが出ると思っています。

他にも、印象的なキャラクターの創り方をいくつか説明しましょう。

あさのりじさん、というマンガ家がいました。僕が子供の頃、『光速エスパー』や『発明ソン太』といったマンガを描いておられましたが、二〇〇〇年に亡くなられています。

そのあさのりじさんが書いたマンガ入門書『まんが教室』（集英社）を、若い頃に読んだことがあります。ちょうどＰＴＡによる悪書追放運動が起きていて、低俗なマンガがよく槍玉《やりだま》に上げられて糾弾《きゅうだん》されていた時代だったのですが、「悪いマンガもあるけど悪いなりに時代を映しているよ」「悪いマンガを消しても世の中は良くならないけど、世の中が良くなれば悪いマンガは自然に消えますよ」と言い切るのが、当時、すごくかっこよく感じられたものです。

そのあさのさんの本の中に、悪役キャラクターの描き方の章がありました。悪役は動物にたとえて描くといい、というのです。

はい、ちょっと動物を擬人化したキャラクターを想像してみてください。もちろん、本物の動物の生態を参考にする必要はありません。その動物から一般的に連想されるイメージを、悪役に当てはめてみるんです。

たとえばゴリラ型悪役。屈強で腕っぷしが強いけど、あまり頭が良さそうじゃないイメージがありますね。

ブタ型悪役。太った金満家で、金の力で部下を率《ひき》い、大きな陰謀を企んでいるんでしょうね。イノシシ型悪役。ブタ型に似ていますが、猪突猛進《ちょとつもうしん》というぐらいで、たちはだかる敵にがむしゃらに突進してゆく印象です。

同じ肉食獣でも、トラ型とオオカミ型の悪役は違います。トラ型はかなり残忍で凶暴、オオカミ型は「一匹狼」というぐらいで、かっこいい孤高の悪役という印象。

ネズミ型悪役は使いっぱしりのチンピラ。イタチ型悪役はこすっからい詐欺師《さぎし》。ヘビ型悪役は冷酷非情、ネコ型悪役は知性派、サメ型悪役は……といったように、動物の数だけ悪役が創れるわけです。つまり、すごく手軽に、いろんなタイプの悪役を描き分けられる。

それを読んだ僕は思いました。「これって悪役以外にも応用できるんじゃないか？」と。

たとえば女性キャラクター。「ネコのような女」というのは、フィクションの世界によく出てきますね。僕の作品では、「シュレディンガーのチョコパフェ」「オルダーセンの世界」「夢幻潜航艇」に登場するシーフロスを、文中で「猫のような眼《め》をした女」と形容し、その言動もネコをイメージして書いています。他にも、「鳥のような女」とか「ヘビのような女」「熱帯魚のような女」「クモのような女」などなど、いろんな女性のイメージを即座に創り出せます。

珍しいところで、「タヌキのような女」というのも考えられます。『ＭＭ９』の藤澤《ふじさわ》さくらは、初登場シーンで「子ダヌキのような丸っこいかわいい顔」と描写しています。『ＢＩＳビブリオバトル部』の空も、やはり初登場時には「丸っこくてタヌキのような印象」です。

僕はこれを〈動物ステロタイプ〉と呼んでいます。

もちろん、これらは単なる第一印象で、単純すぎてこのままでは主役級のキャラクターにはなりません。最初にこうした単純なイメージを読者の前に示し、ストーリーを書き進めながら、それを掘り下げてゆくわけです。

主役ではなく脇役キャラなら、内面までは掘り下げず、こうした第一印象だけで済ませてしまう場合もよくあります。さすがにすべてのキャラクターを掘り下げるわけにはいきませんからね。

『詩羽のいる街』では、執筆の前に少し悩みました。この小説は登場人物がかなり多くなることが予想されました。主人公の詩羽が街を歩きながら、いろんな人と出会って会話を交わしてゆく話なんですから。でも、一人一人の内面までいちいち掘り下げる余裕は、とてもありません。

でも同時に、たくさんの登場人物の一人一人を読者に印象づける必要がありました。短い描写の中で、彼らのすべてに明確な個性があることを示さなくてはならなかったのです。これは難問です。

そこで考えたのは〈ステロタイプ崩し〉です。その人の職業や境遇から連想されるステロタイプを、わざとはずしたキャラクターにしようと思ったのです。

たとえば住宅街の真ん中にある畑で農作業をしている瀬尾《せのお》さんは、「農業従事者にしては、体格はちょっと貧弱な感じがする。髭《ひげ》をきちんと剃《そ》った顔は意外にハンサムで、若い頃はもてたんじゃないかという気がした」と描写しています。

古書店の店主の武藤《むとう》さんは、「痩せ型で、メガネをかけていて吊り目」「マンガに登場させるなら、路上で女の子にからんでくるヤクザというイメージ」です。

レストランのオーナー兼シェフの立浪《たつなみ》さんは、「格闘家じゃないかと思えるほど体格のいい中年男性」。

お分かりでしょうか？　人が一般的に思い浮かべるその職業の典型的なイメージとは、少しずつずらしたイメージで描いてるんです。こうすることによって、読者に一瞬だけ違和感が生じ、登場シーンは短くても印象に残るわけなんです。

もちろん、同じパターンばかりでは飽《あ》きられるので、喫茶店のマスターの梓《あずさ》さんは、「ちょび髭を生やした、あだち充《みつる》のマンガに出てきそうなユーモラスな容貌《ようぼう》の中年男性」と、いかにもありそうなイメージで描いています。

また、第一話に出てくる人の好さそうな鏑木《かぶらぎ》さんというお婆《ばあ》さんは、実は意外な過去があったことが後で明らかになります。第二話に出てくるお寺の住職さんも、「まだ三〇代ぐらいの若さで、頭は剃ってるけど、けっこうイケメン」と、いきなり住職のイメージを壊すような容姿ですが、さらに、実は昔は泥棒だったことが判明します。キャラクターの第一印象を壊すような設定にしてあるんです。


他にも、「当て書き」と呼ばれる手法があります。この話が映画やドラマになったとしたら……と想像し、実在の俳優をイメージして書くんです。

『詩羽のいる街』の場合、詩羽の親友である只野民枝《ただのたみえ》に当て書きを使っています。僕がイメージしたのはタレントの柳原可奈子《やなぎはらかなこ》さんです。

「やーん、詩羽、久しぶりぃ！　正月以来？　冬は無事に乗り切ったみたいね」

「ほほう、君がマンガ家志望の子？　まあ、外は何だから、上がって上がって」


柳原可奈子さんのコントを思い浮かべながら書くと、この「やーん」とか「ほほう」「上がって上がって」という言い回しが、ごく自然に出てくるんですよ。これは便利でした。

〈MM9〉シリーズでは、話全体が怪獣映画や〈ウルトラ〉シリーズへのオマージュなので、けっこういろいろ当て書きを使っています。大学教授で怪獣学の権威の稲本昭彦《いなもとあきひこ》は平田昭彦《ひらたあきひこ》、スカイツリーで破壊工作を行なう妖怪の真樹《まき》は天本英世《あまもとひでよ》、主人公の一騎《いっき》たちをガードする警視庁警備部の新堂陽介《しんどうようすけ》は夏木陽介《なつきようすけ》……といった具合です。

そうそう、俳優とは少し違いますが、『MM9－destruction－』で活躍する、怪獣とコンタクトする巫女の御星《みほし》ひかるの声は、声優の沢城《さわしろ》みゆきさんの声をイメージして書いています。ひかるもやはり、途中でイメージが派手に壊れるキャラクターなんですが、清純で儚《はかな》げで神秘的なイメージの美少女と、戦闘力抜群なドS少女、両方の面を違和感なく演じられるのは、やはり沢城さんであろうと思います。特にひかるが一騎のことを、「このセクハラ野郎」とクールに罵《ののし》るくだりは、書きながら沢城さんの声がありありと想像できました。

実在の俳優ではなく、アニメやマンガのキャラクターをモデルにして書くこともあります。ただ、こういうのはあまり露骨にやりすぎるとしらけるので、元のキャラが分からない程度にとどめるのがいいでしょうね。あくまで、作者が自分の創作の手助けにするための手法ですから、むしろ読者にはモデルが分からないほうがいいんです。

他にも、**自分をモデルにする**という手があります。

他人の性格は理解しづらくても、自分のことならよく分かるでしょう？　自分が作中の人物になったと想定して、こういう状況では何を考え、どう反応するかをシミュレートするんです。そうすればリアルで血の通ったキャラクターになるはずです。

Q．〈でも、自分をモデルにしたら、一人のキャラクターしか創れないのでは？〉

いいえ。前に書いたことを思い出してください。あなたの中にはいろんな矛盾した面が潜んでいるはずです。怒りっぽいあなた、弱気なあなた、愛を求めるあなた、クールなあなた……それらを複数のキャラクターに分散させるんです。

『神は沈黙せず』の場合、和久優歌、大和田省二、加古沢黎など、複数のキャラクターに僕の性格を分け与えています。特に優歌の少女時代、学校でいじめられていたことや、現実から逃避して「目覚めの日」を待ち望んでいたことなど、かなりの部分が僕自身と重なります。だから彼女の心情も迷うことなく、すらすらと書けました。

それに対し、加古沢黎は「邪悪な山本弘」を想定して書いています。僕に良心がなくて、悪に走ったらどうなるかとシミュレートしました。僕と同じ小説家だということもそうですが、彼の主張の多くは、僕自身の主張です。悪役の心情を描くにしても、僕とまったく異なる性格の人間を想像で描くなんて無理。僕とかなりの点まで似ている人間でないと、リアルには描けないと思ったからです。

もちろん僕は加古沢じゃないので、あんなことはしませんよ。彼ほど頭は良くないですし、あんなに売れてませんしね（笑）。


そのものズバリ、僕自身を主人公にしたのが『去年はいい年になるだろう』です。

これは未来からの干渉による歴史改変を扱っています。二〇〇一年九月一一日、未来から五〇〇万体のアンドロイド〈ガーディアン〉が襲来します。人類への奉仕の精神に燃える彼らは、9・11同時多発テロを阻止したばかりでなく、全世界で戦争やテロを禁止し、病気や犯罪や災害から人を救っていきます。さて、そんな行為は本当に正しいのか——というのがテーマです。

普通の作家なら、こういうスケールの大きな話の場合、視点人物を政治家とか軍人とか科学者とかにするでしょうね。社会を動かすエリートたち。でも、僕はそうしたくありませんでした。全世界を巻きこむような大事件だからこそ、「世界」「人類」という大局的なスケールだけで語ってはいけないと思ったのです。巨大な歴史の波に押し流される不条理は、むしろ歴史の底辺にいる名もない者の視点から描くべきだと。

では、主人公はどんな立場の人物にすればいいのか……と考えているうちに、ふと思いつきました。

「自分を主人公にすりゃいいじゃん」

これはそんなに独創的な案ではありません。作者自身が主人公のSFというのは、野田昌宏《のだまさひろ》さんの『レモン月夜の宇宙船』(創元SF文庫)、新井素子さんの『……絶句』(ハヤカワ文庫JA)、半村良さんの『亜空間要塞の逆襲』(ハルキ文庫)などの先例があります。小松左京さん、筒井康隆さん、豊田有恒さんなどにも、作者自身、あるいは明らかに作者がモデルのキャラクターが主人公という作品がけっこうあります。

企画が通るとすぐ、知り合いや作家仲間や編集者に片《かた》っ端《ぱし》からメールを出し、作中への出演の許諾《きょだく》をお願いしました。僕が主人公である以上、僕の周囲の人たちも出てこないと不自然だからです。

返ってきた返事は六〇通以上！　まさに嬉しい悲鳴です。さすがに全員にご出演いただくのは無理でしたが、なるべく多くの方の出番を作ったつもりです。そうした方々からいただいたアイデアも、作中にいろいろ取り入れさせていただきました。おかげでリアリティが出せたと思っています。

そうして完成した『去年はいい年になるだろう』は、多くの方に支持していただき、二〇一一年、第四二回星雲賞の日本長編部門を受賞しました。

そう、キャラクターの創り方に唯一の正解なんてないんです。むしろ作品の内容に合わせて、「今回はこういう風に創ろう」と、創り方を変えるべきだと思います。

ストーリーやテーマにしっかり嚙み合うようなキャラクター——それを創造することを心がけてください。

文章の師匠を見つけよう

■文章の師匠を見つけよう

今回は文章の話です。

以前お話ししましたが、僕は以前、〈グループSNE〉というゲーム制作会社で働いていました。設立は一九八七年。ゲームブックやテーブルトークRPGが雨後《うご》の筍《たけのこ》のように勃興《ぼっこう》していた時代です。

SNEでも『ソード・ワールドRPG』のような大きな企画もいくつも立ち上がっていました。僕も前述の『ラプラスの魔』のノヴェライズをはじめ、『ソード・ワールドRPG』の小説やシナリオやリプレイ、『トンネルズ&トロールズ』の紹介記事、『クトゥルフの呼び声』のガイドブックなどを書きまくっていました。PCエンジンのSF・RPG『サイバーナイト』(トンキンハウス)の企画がスタートしたのも、八〇年代末頃だったと思います。

会社は大忙し。人手不足に陥っていました。そこで新入社員を募集することになり、パソコン雑誌に〈切れ者求む〉という大きな広告を出しました。そうしたら入社希望の手紙が何百通も殺到したのです。とても全員と面接している時間はありません。

そもそもゲームの制作とかゲーム関係記事の執筆というのは、もちろんゲームのことをよく知っていることが重要な条件ですが、それだけではなく、創造性や文章力も要求されます。海外ゲームの翻訳には英語力も必要不可欠です。そうした能力のない人にまかせるわけにはいきません。そこで急遽《きゅうきょ》、郵便で筆記試験を行なうことになりました。入社希望者にテスト問題を送って、解答を郵送してもらう。その中から才能のありそうな人を選んで会社に来てもらい、面接を行なうのです。

テスト問題は三人で分担して作りました。『ロードス島戦記』の水野良さん、『ソード・ワールドRPG』のゲームデザイナーである清松《きよまつ》みゆきさん、それに僕です。

水野良が作った問題は、『ソード・ワールドRPG』のルールの枠内でオリジナルのモンスターをデザインせよ、というものでした。ゲームデザイナーとしての適性を見るものです。清松みゆきが作ったのは、翻訳家としての適性を見るもので、未訳の小説の原文の一部分を示し、それを和訳せよというものでした。

そして僕が作ったのが、作家やライターに必要な適性——文章力を見る問題でした。原文はもう紛失してしまいましたが、だいたいこういうものだったはずです。

【問題】以下の例文を小説風の文章に書き直しなさい。

俺は敵の基地の通路で、物陰に身を潜《ひそ》めていた。

衛兵が近づいてきた。

俺は隠れ場所から飛び出し、銃で衛兵を撃った。
弾丸は命中し、衛兵は倒れた。
――

どうでしょう？　あなたならこの問題にどう答えますか？　挑戦してみてください。

当時はまだパソコンがあまり普及していなかったので、レポート用紙や原稿用紙に手書きで解答を書いてくる人もたくさんいました。覚悟はしていましたが、ひどい文章を書く人もいました。特に誤字が目につきました。何かが成功する「確率」のことを「確立」と書いたり、「登場」を「登上」と書いたり。手足の「関節」を「間接」と書いたり。

まあそれぐらいは予想の範囲内だったんですが、予想しなかったのは、そもそも**原稿用紙の使い方すら知らない人**が何人もいたことです。たとえば、横書き用の原稿用紙を九〇度横倒しにして、そこに縦書きしてきた人。これも十分に変だったんですが、読めないことはありません。もっと驚いたのは、**横書き用の原稿用紙を横倒しにせず、そのまま縦書きしてきた人**です。原稿用紙の升目《ますめ》の列を無視して、字が縦に並んでるもんで、ものすごく読みにくい。これはさすがに想像を絶してましたね。

「小説風の文章に書き直しなさい」という指示の意味を理解できていない人も何人かいました。例文の前後に別の文章をつけ加えたり、文中にいくつか形容詞を付け足したりしただけで、例文自体の内容がほとんど変わっていない――つまりこの例文のどこがおかしいのか、どのように書き換えることを要求されているのかが、分かっていないのです。

そんなに難しい問題じゃないはずなんですが。

「小説風の文章に書き直しなさい」ということは、この例文は「小説風の文章」ではないことを意味します。じゃあいったい、何の文章でしょう?

これはシナリオのト書きです。

「俺」という一人称を使っているので分かりにくくなっていますが、これは映画などのシナリオの中で登場人物の動きを説明している文章なんです。すなわち、ここに書かれていることは、何が起きたかという状況の「説明」にすぎません。僕が書いてほしかったのは「描写」です。

「説明」と「描写」がまったく違うものだということは、普段から小説に親しんでいる人なら、わざわざ説明するまでもなく理解しているはずです。それが分からないということは、もしかしたら小説をあまり読んでいない人なのかもしれません。当然、そんな人は採用できません。

もちろん、ちゃんと課題をクリアしてきた応募者も何人もいました。中でも特に「この人は才能があるな」と感心した若者がいます。彼は例文をちゃんと「描写」に変換したうえ、主人公が衛兵を倒すシーンを一場面として組みこんだ短編小説を書いてきたのです。べつにそこまでしろとは要求していないのですが(笑)、課題を完璧にこなしたうえにそれ以上のことまで書いてくるという姿勢に意欲を感じました。

後日、面接試験を行ないました。僕はその場に居合わせなかったのですが、面接した安田均社長は「なかなか面白いやっちゃ!」と気に入り、すぐに採用が決定しました。

こうして入社し、グループSNEの新戦力になったのが友野詳《とものしょう》です。

彼はその後、SNEでリプレイやシナリオを書きまくる一方、『コクーン・ワールド』『ルナル・サーガ』『妖魔夜行』（以上、角川スニーカー文庫）、『央華封神』（電撃文庫）などのシリーズを発表。近年では〈妖怪コロキューブ〉（学研）などの子供向けのシリーズや、『あやかし秘帖千《ち》槍《やり》組』（廣済堂文庫）、『からくり隠密影成敗』（新時代小説文庫）といった時代小説でも大活躍中です。

あの時の筆記試験の解答を見て、「才能がある」と見こんだ僕の判断は、間違っていなかったわけです。

さて、具体的に「説明」と「描写」がどう違うのかを見てみましょう。
まず、小説の中でこういうシーンを書こうと思いつき、ト書きにしてみます。

時は一九三二年。
季節は晩秋。場所はロンドン。
列車が駅に到着する。
荷物を抱えた乗客が大勢降りてくる。

実際にこういうト書きを書くわけではありませんよ。念のため。頭の中で「こう書こう」と考えるだけです。
次にそれを、やはり頭の中で視覚イメージに変換します。映画でもテレビドラマでもアニメでもいいんですが、この話が映像化されたと想定して、このシーンを「絵」に変換し、頭の中で上映してみるんです。この場合は一九三〇年代の話なので、モノクロ映画の一場面としてイメージしてみました。

最後に、頭の中に浮かんだその映像を文章に変換し、「描写」します。『ラプラスの魔』の続編『パラケルススの魔剣』（富士見書房）の一場面です。

リバプールから五時間かけて走ってきた列車は、ごうごうと苦しげに息を吐き、連結器を軋《きし》ませながら、終着駅ユーストンの煉瓦《れんが》造りの構内にゆっくりと滑《すべ》りこんできた。鋼鉄の巨体が重々しく最後の吐息を発して停車すると、白い蒸気がもうもうと渦《うず》巻く中、荷物を抱えた人々が、どっとホームに吐き出される。冬が近いため、温かい車内から外に出たとたん、息がほんのりと白く変わる。ある者は懐かしい我が家への郷愁に胸を焦《こ》がし、ある者は初めて訪れる土地に不安を抱きつつ、ロンドンの街へ流れ出してゆく。

どうですか？　ト書きに比べ、かなり小説らしくなったでしょう？

絶対に忘れてはならないのは、こうした情景描写の場合、ト書きを小説に変換する前に、**頭の中で必ず視覚化すること**です。

一〇年ほど前、ある小説初心者の書いた原稿を読んだことがあります。少年がティラノサウルスと戦うシーンがありました。

仰天したのは、ティラノサウルスが「前足のかぎ爪」で少年を攻撃してくるという描写があったことです。

ありえません！　想像図を見れば誰でも分かるように、ティラノサウルスの前足ってすごく小さいんです。攻撃に使えるはずがありません。ティラノサウルスが至近距離で人間と対峙《たいじ》したら、前足など使わず、大きな口で噛みついてくるはずです。

そんなのは古生物学の専門知識がなくても、想像図を見て、なおかつ少年とティラノサウルスが戦うシーンを頭の中でイメージしてみたら、誰でも気がつくはずです。つまりこの作者は、「少年がティラノサウルスと戦うシーン」を書こうとしているのに、それを具体的にイメージしていなかったんです。

アクションシーン、特に戦闘シーンでは、こうした視覚的イメージが欠落しているのは致命的です。作者がどんな文章を書いても、それが視覚的に矛盾していれば、読者はイメージできませんから。

たとえば、キャラクターAがキャラクターBと出会い、少し会話した後、いきなりぶん殴る。あれ？　AとBはいつのまにそんな至近距離まで接近してたんでしょうか？　せめて一行でいいから、AがBに殴りかかる前に、二人が物理的に接近する描写を入れてほしいです。

アクションシーンに限ったことじゃありません。室内で登場人物が向かい合って話すだけのシーンでも、最低限、彼らの位置関係ぐらいは想定して書いたほうがいいでしょう。

キャラクターAがキャラクターBに「背を向けた」と書いておきながら、BからAの表情が見えたりしたらおかしいですよね？　作者は気づかないかもしれませんが、読者は気づきます。頭の中で「Bに背を向けたA」をイメージしていますから、「あれ？　BにはAの顔は見えてないんじゃないか？」と違和感を抱くはずです。だからAがBに「背を向けた」と書いた後、忘れずにAがBに「向き直った」という一文を入れておくべきかと思います。

意外なことに、こんな風にシーンを頭の中で視覚化せずに書く人って、けっこう多いみたいなんですよ。他の人の小説を読んでいると、それが気になります。

だいぶ前ですが、あるライトノベルを読んでいたら、身長五センチの小人の女の子が、人間の女の子に、髪を三つ編みに編んでもらうというシーンがありました。

身長五センチの女の子の髪を三つ編みにする？

それ、ものすごく高度な技術を要求されませんか？　少なくとも僕には、そのシーンがイメージできませんでした。

また、身長五センチの小人から見れば、人間は自分の身長の三〇倍、初代ゴジラぐらいの大怪物のはずです。当然、初めて遭遇した時には、激しい恐怖を覚えなきゃいけないはずなんですが、そういう描写もない。つまり作者には「小人の視点からは人間はどう見えるのか」というイメージが欠落してるんです。

作者がそうしたイメージに無頓着なまま書き続けると、矛盾が生まれたり、違和感が積み重なったりして、どうしても視覚的にイメージしにくい小説になってしまいます。


どうすれば上手い文章が書けるようになるのでしょうか？

何もないところからそれを学ぶのは大変です。僕もあなたに手取り足取り教えることはできません。学ぶべきことはあまりにも多すぎますし、そもそも文章というのは誰かの指示通りに書くようなものではなく、自分で考えて書かなければいけないのですから。

僕のおすすめは**「文章の師匠」を見つけること**です。

実際にその人に会ってレクチャーを受ける必要はありません。もう亡くなっている方でもかまいません。まず、あなたの大好きな作家の中から、「この人の文章はすごく上手い」と思う人を一人、選びましょう。そして、その人の小説を徹底的に読み返してみるんです。何度でも、飽きるぐらいに。

なぜ「大好きな作家」に限定するかというと、好きでもない作家の小説を何度も読むのは苦痛だからです。でも、好きな作家なら何度でも読み返せますよね？

もちろんそれは「この人の文章はすごく上手い」と思える人でなくてはいけません。当たり前ですが、下手な人の文章を読んでも参考にはなりませんから。読んでいて「ジーンときた」「恐ろしさにゾワッときた」「悔しさで胸がかきむしられるようだった」「思わず声に出して笑ってしまった」「すごくエキサイトした」……そんな風にあなたの感情を突き動かす文章を書く人を探すんです。

ただ読み返すだけではなく、読みながら分析してみましょう。あなたの心に響いたのはどういうシーンなのか。そのシーンではどのような描写がされているか。なぜそれが心に響いたのか。

僕らは普段、文章を読んでいる間、実は文章そのものを認識してはいません。その文章が脳内に喚起するイメージを見ているんです。ですから、その文章を読み直してみて、それがなぜ心に響くイメージを喚起したのかを考えてみましょう。そして、徹底的にまねしてみましょう。

目標は、その作家にそっくりの文章を書けるようになることです。一朝一夕《いっちょういっせき》にできることじゃありません。でも、長いこと続けていれば、いずれ必ず、その人にそっくりな文章が書けるようになるはずです。

僕の場合、文章の師匠に選んだのはＣ・Ｌ・ムーアでした。

一九一一年生まれ。二二歳で〈ウィアード・テールズ〉誌に発表したデビュー作「シャンブロウ」は、当時、あのＨ・Ｐ・ラヴクラフトも絶賛したと言われています。

> 「〈シャンブロウ〉は大変な名作である。その壮麗な導入部の恐怖を秘めた旋律は、未知なるものの存在を無気味に暗示しながら進んでいく。理由は示されぬままに、群衆が抱く恐怖によってそれとなく示唆されているそれの精緻な邪悪さはきわめて力強い。――そしてまた、それに関する描写は、その正体があきらかになったあとも決して読者を失望させることはない。この作品には本当の意味の雰囲気と、そして、緊迫感にみちている（後略）」（野田昌宏訳）

僕は高校一年の時に、『大宇宙の魔女』（ハヤカワ文庫ＳＦ）に収録された「シャンブロウ」を読みました。そして、一撃でノックアウトされました。「これこそ僕の読みたかった小説だ！」と感動したものです。

ストーリーは単純です。宇宙の無法者ノースウェスト・スミスは、火星の下町で、群衆に追われていた「シャンブロウ」と呼ばれる異星人の娘を助け、なりゆきから宿に連れて帰ります。スミスになつくシャンブロウ。しかしある夜、正体を現わします。彼女はターバンの下に隠した真っ赤な触手で獲物を包みこみ、快楽の虜《とりこ》にして、生命力をむさぼる一種のバンパイアだったのです。

この相克《そうこく》と認識、恍惚《こうこつ》と嫌悪の混交が瞬時のうちに起こった。真紅の長虫はスミスにまとわりつきながら、かれを形成している全原子の中へ、無限の快楽のみだらな戦慄を深く浸透させた。かれはその粘い恍惚の抱擁《ほうよう》に身動きもできず、陸続たる強い悦楽の波が深くなるにつれ、抵抗は次第に弱まっていった。魂《たましい》の中の裏切り者は強くなっていき、嫌悪感を圧倒した。心のなかの何かが闘いを止め、かれは燃える暗黒の中へすべてを没入し、何もかも忘れて、ひたすら恍惚感をむさぼり……

（仁賀《じんか》克雄《かつお》訳）

どうです？　ぞくぞくきませんか？　これをデビュー作として書いた女性（そう、ムーアは、男性作家ばかりだった時代に人気を得た女性作家だったんです）は二二歳だったというんだから驚くばかりです。

「シャンブロウ」も良かったんですが、僕がもっとのめりこんだのは、『暗黒神のくちづけ』（ハヤカワ文庫ＳＦ）でした。中世フランスの女戦士ジレルを主人公にしたファンタジーで、五編の中短編から成る短編集です。特に表題作である第一話「暗黒神のくちづけ」は、その素晴らしい描写に圧倒されました。

小国ジョイリーの領主ジレルは、戦いに敗れて国を征服されたうえ、敵国の支配者ギョームによって侮蔑《ぶべつ》のくちづけを受けます。怒りに燃えるジレルは、ギョームに復讐するための武器を求めて、監禁場所から脱《ぬ》け出します。そしてジョイリー城の地下にある秘密の穴を通って、地獄へ——暗黒の異次元世界へ降りていきます。

ただ一人、真っ暗な地獄をさまようジレル。このくだりがもう想像力の爆発という感じで、とてつもないイメージの連続なんです。僕は酔いましたね。

ムーアの描く地獄は、単に危険に満ち、恐ろしいだけじゃないんです。静かで、魅惑的で、おぞましくも美しいんです。知性を失い、沼地で蛙飛びをしている美しい裸の女。闇の荒野を女の名を呼びながら駆けている盲目の白馬……どこから思いついたんですかね、こんなイメージ。これ以上にオリジナリティのある地獄を描けと言われても、ちょっと無理じゃないでしょうか。

ジレルはやがて暗黒の神殿にたどり着きます。その中央にはうずくまった黒い石像がありました。不思議な力に導かれるまま、彼女は石像に近寄り、くちづけをします。


夢中で彼女はくちづけをした。眩惑《げんわく》と混乱の夢の中で、彼女は鉄の冷たさを持つ唇が動くのを感じた。そして唇の接合を通して――名状しがたい石の像と暖かい血の通う女性との――唇と唇の触れ合いを通して、何かが彼女の魂の中にはいりこんだ。それは冷たく気の遠くなるようなものであり、言葉にはいい表わせない異質のものだった。それは虚空《こくう》の極寒の重みのように、慄《ふる》える魂の上へおかれ、あぶくひとつが考えも及ばぬ異質さと恐ろしさをあわせ持っていた。彼女は像との接触で委縮した魂の上に重圧を感じた。それは後悔や絶望の重みと似ており、それよりはるかに奇怪で――どこか――もっといまわしく、かりにこの重みが像からもたらされた卵だとしたら、それが孵化《ふか》したらと考えるだけでもぞっとした。

（仁賀克雄訳）


魂の中に入りこんだ冷たい絶望に苦しみながら、ジレルは気づきます。このくちづけこそ、暗黒神が自分に与えた復讐の武器だということを。これを憎むべきギョームに移してやることで、その絶望の重みによってギョームは死ぬのだということを……。

絶望の重みで人を殺すくちづけ！　そんな抽象的なものを、文章の力だけで納得させてしまうんですよ、ムーアという人は。

文章には無限の可能性と無限の力がある。その気になれば、どれほどありえないものでも描き出せる――僕に文章の力のすごさを思い知らせてくれたのは、C・L・ムーアだったのです。


これも前に書きましたが、僕は高校時代から、商業誌のコンテストに投稿をはじめていました。でも、自分の文章力のなさに苦しみ、劣等感に苛《さいな》まれていました。思ったような文章が書けない。こんな文章力じゃ、とても作家になんかなれそうにないと。

そこで考えたのが、ムーアの文章を参考にすることでした。特に『暗黒神のくちづけ』を。

（厳密に言えば、訳者の仁賀克雄氏の文章なんですが）

単に読むだけじゃありません。どのシーンでどんな描写がされているか、どんな言い回しが用いられているかを研究しました。ひとつの段落がどれぐらいの長さの文章でできているかとか、どういう単語がよく使われているのか、といったことも。

僕が今、持っている『暗黒神のくちづけ』は、実は四冊目です。一九七四年、初版が出てすぐに買った一冊目は、あまりに読み返しすぎてボロボロになってしまったので処分しました。二冊目は人にあげました。三冊目は一九八〇年頃に買った四刷で、これもすっかりボロボロになり、カバーも口絵も取れてしまったので、やむなく数年前に四冊目を古書店で買いました。

もう何十回読み返したか分かりません。僕ほど『暗黒神のくちづけ』を読んだ人間は他にいない、と断言できます。

その甲斐《かい》あって、二〇代になると、すっかりC・L・ムーアそっくりの文章が書けるようになっていました。たとえば二八歳の時、同人誌〈星群〉に発表した「月下の魔宴」という中編がそれです。ちなみに今は投稿サイト〈カクヨム〉にアップしていますので、参考にしたい方はお読みになってください。

(https://kakuyomu.jp/works/1177354054881374012)

彼女の背後に大山脈のようにそそり立ったものが、しだいに存在感を濃くしてゆくにつれて、灰色のとばりがあたりを閉ざし、世界の黄昏《たそがれ》にも似た不吉な静寂がのしかかってきた。あたかも形や重さを超越した威圧が空間を押しひしぎ、時間を遅滞させているかのようだった。黒いものたちは意外なほどの従順さで、巨大な影の主に頭《こうべ》を垂れた。古《いにしえ》の大いなる支配者の復活に、夜風は息を潜め、星々は震えおののいた。

悪夢に似た気味の悪い空間がアタランテの周囲に形をとりはじめた。灯《あかり》ひとつない暗黒の底、人間のものではない悪意にとり巻かれて、彼女は希望もなく、ひとりぼっちだった。恐怖は咽《の》喉《ど》を詰まらせ、涙を凍らせ、硬直した肉体を冷たい一枚岩の上に釘づけにしていた。美しかった黒い眸《ひとみ》は輝きを失い、血の気の引いた唇はぎこちなくこわばっている。圧倒的な恐怖に黒く塗り潰された心は、もはや反抗の感情を奮《ふる》い起こすことはおろか、脈絡のある考えを巡らせるゆとりすらない。身動きひとつならず、嗚咽《おえつ》ひとつ洩《も》らすことのできない彼女は、恐怖によっ一て凍結されたガラス細工の人形だった。

今、読み返すと、我ながら笑っちゃうぐらいムーアそのものですね。「くどい文章だな」とか「おいおい、この形容はおおげさすぎるだろ」とツッコんでしまうところもあります。でも二八歳の時点でこれが書けたからこそ、四年後に処女長編『ラプラスの魔』が書けたんだと思っています。

ちなみに『ラプラスの魔』の一節、登場人物たちが幽霊屋敷に乗りこんでゆくくだりは、こんな感じです。

一昨日《おととい》の雪はまだすっかり溶けずに、荒れ果てたウェザートップ家の敷地をまだらに覆《おお》っていた。かつては広い畑があったのだそうだが、もうずいぶん前から手入れする者もなく、夏には丈高い雑草の海に、冬には殺風景な荒れ野になる。点在する落葉樹はまだ新しい年の葉を付けておらず、怪奇小説の挿絵にある枯れ木さながらで、骸骨《がいこつ》の手のような枝で生気の無い冬の空をひっかいていた。敷地の境界には杭の間に三本の鉄条網を張った簡素な柵がめぐらされていたが、素人が作ったらしく、いかにもずさんで、侵入者にとっては何の障害にもなっていなかった。

ただし、この文体、現在は封印しています。書くのにものすごく手間がかかるんですよ。コストパフォーマンスが悪い。だから普段はもっと簡略化した文体を使っています。

もっとも、いざとなったらまたこういう文章は書けます。それを示したのが、ホラー短編「闇からの衝動」（『シュレディンガーのチョコパフェ』に収録）です。C・L・ムーア自身を主人公に、「シャンブロウ」や「暗黒神のくちづけ」など彼女の代表作のモチーフを寄せ集め、ムーアへのオマージュとして書いた作品。文体も徹底的にムーアのそれをまねています。

だが、その子供らしい高揚感も、地下室に近づくにつれてしぼんでいった。忘れていた恐怖がよみがえってくる。咽喉までこみあげてくる重苦しいものをこらえようと、キャサリンは何度も唾を飲みこんだ。地下室の扉に向かって歩くという、ごく日常的な動作が、今の彼女にとっては魂をすり減らす重労働なのだ。肩にのしかかってくる孤独と不安が重みを増し、恐怖が潮のように素足にまとわりついて、前進をさまたげていた。

ようやく地下室の扉に到達し、おそるおそる開いた。予想通り、地下に降りる階段はインクを満たしたように真っ暗で、黒い生き物が息をひそめているように感じられた。恐怖と懸命に戦いながら、壁面にあるはずの電気のスイッチを探るが、なかなか見つからない。キャサリンはあせった。今にも闇の中から黒い手が飛び出してきて、自分の腕をつかむように思われた。

もちろん、僕が文章の師と仰《あお》いだのはムーアだけじゃありません。他にも何人もの作家の文章から影響を受けています。

たとえば眉村卓さんからは、段落の使い方を学びました。

作家によって、段落の使い方はいろいろです。一センテンスごとに改行する作家さんもいますが、改行が極端に少なく、一段落が何十行も続く人もよくいます。僕はどちらも「もったいないなあ」と思います。**段落は武器になる**のにと。

眉村卓さんの小説、特に〈司政官〉シリーズ（創元SF文庫）は、けっこう段落が長いんです。たいてい、一段落が何十行も続きます。でも、その中にふと、

〈だが〉

とか、

〈しかし〉

という一行だけの段落が入るんです。これが実に効果的でかっこいい！　長い段落の間に一行だけの段落が入ると、そこがアクセントになるんですね。

僕はこの手法をまねさせていただきました。そのため、普段から長めの段落を書くように心がけています。その途中に、強調したい文章を一行だけ入れる。

たとえば『詩羽のいる街』の二章には、こんなくだりがあります。

あたしは打ちのめされた。作品を読んだうえでそれを嫌いになるというなら、まだ話は分かる。感性の違いというやつだ。でも、読んだこともない作品についてデタラメな批判を書いて、そのうえ作者を中傷するデマまで流して愉《たの》しむって、どういう心理？　どう解釈したらいいの？

純粋の悪意。

そんなものはマンガやアニメの中だけの話だと思っていた。貧しさから犯罪に走ったり、ふと出来心で悪いことをしたり、正義感が暴走して他人を傷つけたりすることはあっても、純粋に悪を悪として愉しむ人間なんてものは、現実にはそうそう存在するわけがないんだと――でも、そうじゃなかった。『戦まほ』に向けられた悪意、あたしに向けられた悪意は、勘違いでも歪んだ正義感でもなく、混じりけのない悪だった。

分かりますね？　ここでは「純粋の悪意」が、僕の強調したかった部分です。他にも僕の小説には、こういう「一行段落」が随所に使われていますので、探してみてください。

一行段落をさらに強調したのが、一行段落の前後に空白の行を入れるというものです。これはたぶんライトノベル由来の手法だろうと思うんですが、ごくたまに使うことがあります。

僕はためらった。あまりにも常識はずれな考えだったからだ。だが、これまでの彼女の行動からすると、そう思えてならない。だから思いきって質問した。

「もしかして詩羽さん、お金持ってないの？」

「そうよ」彼女はあっさり認めた。「ようやく気がついた？」
「財布を忘れてきたとか、そういうんじゃなく？」
「うん。持ってない。ここ六年ばかり、紙幣にも硬貨にもまったく触ったことがない」

ここは「もしかして詩羽さん、お金持ってないの？」という台詞《せりふ》を目立たせたかったんです。でも、傍点を振ったり太字にしたりするのはためらわれました。これは強い口調で言ったのではなく、さりげなく発せられた言葉だからです。だからこういう手法を選択しました。

他にも文章にはいろんな技法があります。あなたも自分の文章の師匠になってくれる作家を見つけてください。その文章を何度も読み、徹底的にまねしてください。そうすれば文章力が確実に上達するはずです。

……とまあ、これで終わっちゃったら無責任ですよね。さらにいくつかヒントになるアドバイスを差し上げましょう。

まず、**描写の基本は比喩《ひゆ》である**、ということ。描写したいものを何か他のものにたとえるんです。

先に挙げた『パラケルススの魔剣』の場合、機関車が「ごうごうと苦しげに息を吐き」、「重々しく最後の吐息を発して停車」するというのは、機関車を生きものに見立てて描写しているわけです。

「月下の魔宴」の方はもっと極端です。「世界の黄昏にも似た不吉な静寂」「あたかも形や重さを超越した威圧が空間を押しひしぎ、時間を遅滞させているかのようだった」「夜風は息を潜め、星々は震えおののいた」「悪夢に似た気味の悪い空間」「恐怖は咽喉を詰まらせ、涙を凍らせ、硬直した肉体を冷たい一枚岩の上に釘づけにしていた」「圧倒的な恐怖に黒く塗り潰された心」「凍結されたガラス細工の人形」などなど、多数の比喩がぎっしり詰めこまれていることが分かりますね。

また、**キャラクターの精神状態は肉体の状態に置き換えて表現する**というのもコツです。よく「のどから手が出るほど欲しい」とか「耳に胼胝《たこ》ができる」などと、ありえないことを言ったり、何かで悩んでいる時に、実際に頭痛がするわけでもないのに「頭が痛い」という表現をしますね？　それを応用するんです。

先に挙げた「闇からの衝動」の場合、「咽喉までこみあげてくる重苦しいもの」「魂をすり減らす重労働」「肩にのしかかってくる孤独と不安」「恐怖が潮のように素足にまとわりついて」といった表現がそれです。恐怖とか不安とかいった感情を、肉体に加わる感触に置き換えて表現してるんです。他にも僕は、恐怖を表わすのに、「冷たい手で心臓をつかまれたかのように」とか「見えない手で首を絞められているかのような」といった表現をよく使います。ただ、いつも同じ表現を使っていると読者に「またか」と思われるので、毎回、なるべく異なる比喩を使うように心がけていますが。

注意しなくてはならないのは、**その作品のイメージに合った単語を選択すること**です。

「月下の魔宴」の場合、ダークなムードのファンタジーなので、使っている単語が「黄昏」「夜風」「悪夢」「冷たい」「黒く」など、暗く冷たいイメージで統一されています。『ラプラスの魔』の場合、「怪奇小説の挿絵にある枯れ木」「骸骨の手のような枝」といった単語をちりばめ、不気味な雰囲気を出しています。こうした単語を比喩として多用することで、サブリミナル的に読者の感情を誘導してゆくわけです。

一人称小説の場合、**比喩を使って主人公の性格や心理を表現する**こともできます。たとえば『詩羽のいる街』の第一話の語り手、飯塚陽生《いいづかはるお》は、マンガ家志望の青年なので、あらゆるものをマンガにたとえて表現します。彼が初めて詩羽と出会った時の印象はこんな感じです。

不思議な女性だった。すごい美人というわけじゃない。外見が特に変わっているわけでもない。でも、僕の記憶の中で、彼女の登場シーンは鮮烈だった。マンガで描くなら四段ぶち抜きというところ。派手な効果線も効果音もないけど、主要キャラクターが登場したことが読者にひと目で分かる——そんな感じだった。

このように、どういう比喩を選ぶかで、陽生が世界をどのように見ている青年なのかが、読者に伝わるわけです。

注意しなくてはいけないのは、**その世界のイメージに合わない比喩は避ける**ことです。たとえば時代劇や中世風の異世界ファンタジーで、「彼はロケットみたいに吹っ飛んでいった」といった比喩は感心しません。せいぜい「旋風のように走り去った」とか「鞭を当てられた馬のように駆け去っていった」といったところではないでしょうか。

コメディ作品の場合、**比喩はギャグとしても使えます。**変な比喩で読者を笑わせるんです。「背中に火のついた猫のように慌てて走り去った」とか「覗きを見つかった痴漢のようにこそこそと逃げ出した」とか「まっすぐな道を、階段を転げ落ちるかのような勢いで駆け去った」とか「故郷に置いてきた昔の女房に見つかったかのように、悲鳴を上げて逃げ出した」とか、その気になればいくらでも思いつきますよね？

特にライトノベルのコメディの場合、突拍子もない比喩が飛び出すことがよくあります。どんなユニークな比喩を思いつけるかで、作者の力量が問われると思います。

あと、**描写する際にはカメラワークを考慮に入れましょう。**

一人称小説なら、語り手の視点から描写するのは当然ですが、三人称の小説でもカメラワークは意識するべきだと思います。シーンをイメージする際、「この場面はどの位置からどういうアングルで撮っているのか」と考えながら書くのです。

たとえば人物を撮る場合、どこからどういう順序で撮るのか。頭を撮って、次に足を撮って、それから胸を撮って……とバラバラな順序で撮っていたら、読者が混乱します。なるべくなら、スムーズに視点を移動させたい。

たとえば「オルダーセンの世界」（『アリスへの決別』に収録）では、ヒロインのシーフロスを次のように描写しています。


猫のような眼をした女だった。軽くウェーブのかかった黒髪が頬にかかっている。アジア系の血が混じっているようだ。顔立ちからすると二〇歳前後か。ジョシュアが言っていたように、不安の色はまるでなく、この状況をくつろいで楽しんでいるように見えた。カーキ色のつなぎの作業着を着ているが、規則に反してジッパーをみぞおちのあたりまで下ろし、胸を大きく開いている。

お分かりでしょうか？　彼女の眼のアップからはじまり、髪→顔→作業着→胸という順に、カメラがパンダウンしています。彼女を見ている語り手の興味が、最初は印象的な眼に惹《ひ》きつけられ、そこから胸に視点が移動していっているわけです。

「オルダーセンの世界」の前作に当たる「シュレディンガーのチョコパフェ」（『シュレディンガーのチョコパフェ』に収録）では、こういう工夫をしてみました。

「ん〜、もうっ、いい加減にしろ！」

びっくりして目を上げると、食べかけのチョコレートパフェの水仙形のグラスの向こうに、ぷんとむくれた裕美子《ゆみこ》の顔があった。口を成層火山《コニーデ》のようにとんがらせ、ラムネ玉のようなちっこい眼で、上目づかいに俺をにらみつけている。俺は猫背なので、座ると視線の高さが彼女と同じになる。

と、まずヒロインの顔の描写から幕を開け、そこからズームバックして、彼らのいる喫茶店の店内の描写を経て、窓の外の世界へと視点が移動してゆきます。

隣のテーブルでは、空色のエプロンをした仏頂面《ぶっちょうづら》のウェイトレスが、四人組の男女から注文を取っていた。四人とも俺たちと同じく、この界隈のマニアショップをめぐって食玩《しょくがん》&ガチャポンあさりをしていたらしく、テーブルの上に戦果を広げていた。通称「マニア街」からひと筋入った喫茶店、しかも土曜の午後とあって、店内は見るからにそれっぽい風貌の客でほぼ満

――席である。ＢＧＭはヒット中の恋愛映画の主題歌。広いウィンドウの向こうでは、オレンジ色をした三月の夕陽を浴びて、おそらく今年最後の粉雪が、羽虫のように舞い、きらめいている。

このズームバックという手法、「シュレディンガーのチョコパフェ」の中で、場面転換のたびに何度も用いています。これは〈亜夢界〉という奇妙な世界（説明はややこしいので本文を読んでください）の性質を表現するために考案した手法なんです。同じ〈亜夢界〉ものの「夢幻潜航艇」（『アリスへの決別』に収録）でも何度も出てきます。

長く作家生活をやっていると、何度か難問にぶつかったことがあります。どうしても書かなきゃいけないけど、ストレートに書けないシーンがあるんです。

たとえば〈ソード・ワールド〉小説『サーラの冒険』。平凡な少年サーラが冒険者を目指すファンタジーなんですが、最大の難関は五巻の『幸せをつかみたい！』でした。そのクライマックスでは、サーラの初体験シーンがあるんです。

ちなみにサーラは一二歳、恋人のデルは一三歳です。

これはさすがにストレートには描けません。問題がありすぎます。でも、物語上、とても重要なシーンだから、避けて通るわけにいかないんです。どうすればいいのか？

悩んだ末に、方法を思いつきました。**「直接的な描写を避ける」**――何が起きているかを、間接的な描写だけで描こうと。

そのためにまず、ストレートな単語をすべて封印しました。性器の名称はもちろん、「裸」「胸」

「乳房」といった単語も。ぎりぎり「肌」だけは残しましたが。
そしてこんな文章になりました。

白い肌が現われてゆくにつれ、サーラは魂の奥で暗く熱く凶暴な何かが脈打ち、ゆっくりと力を増してゆくのを感じた。知らず知らず、呼吸が荒くなっている。それは二月前のあの晩、池のほとりで覚えたのと同じ感覚だった。自分の中には、あの黒いオーブと同じような球体が眠っていて、それが解き放たれるのを待っているように思える。

恐ろしかった――決意したこととはいえ、これから未知の世界に足を踏み入れるのだと考えると、不安でたまらない。だが、サーラは勇気を奮い起こした。後戻りはできない。後悔しないと誓ったのだから。

やがて少女は、世間の倫理が強要していた堅苦しいものから解き放たれ、生まれたままの姿で少年の前に立った。静かに微笑を浮かべ、両手は恥ずかしげに胸に置いているが、何も隠してはいない。サーラはその足元にひざまずき、女神像を崇《あが》める巡礼者のように、その至高の美に酔っていた。

月明かりの下で、少女の肌は雪花石膏《アラバスター》のように白かった。月光に浮かび上がった幻想的なその姿は、内側からほのかな燐光《りんこう》を放っているようにも見える。サーラは現実から遊離し、頭がしびれるような感覚を味わっていた。その感動はまさに宗教的な熱狂に近いものだった。デルの言葉は正しい。本当にいちばんきれいなのは、何も着ていない彼女だ……。

無論、客観的に見れば、もっと美しい女性などいくらでもいるだろう。だが、彼にとってデルは唯一無二の存在なのだ。他のどんな美女が衣服を脱いだとしても、これほどの感動を与えてはくれないだろう。この世で最も愛している少女だからこそ、この世で最も美しいのだ。

同時にサーラは、恐怖も感じていた。美の背後に強烈な危険が潜んでいるという、理屈に合わない予感が胸を苛む。目の前に立っているのが生身の少女ではなく、切れ味の鋭い剣、鞘《さや》から解き放たれ、月光を反射して輝く鋼鉄の刃《やいば》のように感じられるのだ。触れれば手が斬《き》れる。抱き締めれば自分はまっぷたつにされる……。

それでもサーラはおずおずと手を伸ばし、少女の脚に触れた。予想に反して、手は斬れなかった。そっと指を滑らせると、素焼きの壺《つぼ》のように乾いた、軽く心地よい感触だった。

サーラはしばらく行動に移れなかった。二つの強烈な力が拮抗《きっこう》していたからだ。恐怖と魅惑、不安と歓喜、少女を突き飛ばしてここから逃げ出したいという想いと、さらに先へ進みたいという想い——やがて後者がわずかに打ち勝ち、サーラはためらいながらも前進を再開した。


「肌」以上の単語はひとつも使ってないことがお分かりいただけたでしょうか。「生まれたままの姿」「何も着ていない」とは書いているけど、「裸」とは書いていない。

だからこの文章を読んで、あなたの脳裏に裸の美少女のイメージがくっきりと浮かんだとしたら、それは僕の文章の力だということです。

『妖魔夜行　戦慄のミレニアム』を書いた時にも、非常に悩みました。この小説の中盤では、人類絶滅を企む天使軍団の計画により、東京に大地震が起きるのですが、そのシーンを書くにあたり、問題点が三つありました。

第一に、この小説を書いたのは二〇〇〇年。まだ一九九五年の阪神大震災の記憶が生々しい頃です。あまりリアルすぎる描写は、被災者のトラウマを刺激するかもしれないので、なるべく避けたいところです。

第二に、東京やその周辺地域で起きる大規模な被害を克明に描いていたら、枚数がいくらあっても足りないということ。そもそも〈妖魔夜行〉は妖怪の活躍を描くシリーズです。大地震はあくまで話の背景であって、メインじゃないんです。

第三に、ビルが崩れたり火災が起きたりするところを文章で書いても、映画の迫力にはとうてい勝てないということ。

かといって、重要なシーンですから、逃げるわけにはいきません。考え抜いた末、思いつきました。

「カメラワークで勝負しよう！」

まず、震源は東京湾の海底と設定しました。真っ先に被害を受けるのは、おそらく浦安《うらやす》の東京ディズニーランド。震源までの距離が近いので、初期微動はきわめて短いはずです。

そこでまず、最初の犠牲者を描きます。

千葉県浦安市――

「何か飲むぅ？」

東京湾を見下ろすＴＤＬオフィシャルホテルの豪華な一室。お楽しみを終えたばかりの若いカップルがくつろいでいた。男はベッドで横になっており、女は部屋に備えつけのガウンだけを羽織って、冷蔵庫内のドリンク類を物色している。
初期微動がはじまった。

「あー、地震……」

女は天井のシャンデリアを見上げ、ぼんやりとつぶやいた。関東では地震など珍しくもない。いちいち驚いてなどいられない……。

次の瞬間、S波が到達した。巨人の手ではたかれたように、部屋全体が大きく横に揺れた。女はひっくり返り、男はベッドの端《はし》から転げ落ちた。シャンデリアが派手に振り回され、テレビが台から吹き飛ばされた。クローゼットの扉が開き、ハンガーがばらばらと飛び出してきた。

電気が消え、室内は真っ暗になった。女は絶叫した。

さて、問題はここからです。僕は地上の被害を描くのをいったんやめ、すぐにカメラを思い切りズームバックさせました――衛星軌道まで。

彼女が上げた悲鳴は、その瞬間、東京湾北部沿岸で発せられた何百という悲鳴のひとつにすぎなかった。音速の何倍もの速さで震動域が拡大するにつれ、悲鳴の大合唱は東京および千葉全域へ、さらに周辺の他府県へと広がり、何千、何万、何十万という数に膨れ上がっていった。大地の揺れる音、コンクリートの砕ける音、瓦《かわら》の落ちる音、家具が倒れる音がそれに重なり、恐怖の交響曲を奏でた。

もしこの時、衛星軌道から夜の関東地方を見下ろしていた者がいたとしたら、ダイヤモンドで織られた蜘蛛《くも》の巣のように美しくきらめいていた東京湾岸の一画に、ぽっかりと黒い染みが生まれたのを目にしたはずである。その染みはたちまち癌《がん》細胞のように増殖し、街の灯を食い潰していった。被害の拡大とともに停電も広がり、ほんの一分足らずで、東京都の東半分と千葉の西半分、神奈川県、埼玉県、茨城県の一部が闇に呑みこまれた。震源から半径六〇キロにわたる広範囲で、人工の光がすべて失われ、地震に伴うオーロラのような発光現象がそれに取って代わった。

我ながらこのカメラワークはかっこいいと思っています。小説ならではの表現ですし、「ダイヤモンドで織られた蜘蛛の巣」が欠けてゆくという印象的な描写を入れることで、地震の被害を直接描くことなく、被害の大きさとその恐ろしさが明確に伝わります。

他にも文章には様々な手法があり、いろんなことが可能です。あなたも他の作家の表現を参考にしながら、自分なりの表現方法を見つけてください。

そうそう、最初に出した試験問題について。

「これが唯一の正解だ」と言えるものはありません。ですからご自分で採点してみてください。「説明」ではなくきちんと「描写」がされ、小説風の文章になっているなら、それが正解です。

たとえばこういう感じ。

一　出口を目指して走り続けるうち、前方の通路の奥のほうで、人影がちらりと動くのが見えた。

俺はとっさに、壁際に垂直に立つ太いダクトの背後に身を隠し、息を潜めた。

足音が近づいてくる。ゆっくりとした歩調。姿は見えないが、ぶらぶらと歩いているだけで、緊張感や殺意は感じられない。衛兵の定期的な巡回か。だらけた雰囲気が感じられる。破壊工作員が潜入しているなんて、夢にも思っていまい。

しかし、奴はじきにこのダクトの近くまで来る。必ず俺の姿を見られてしまうだろう。ちらっと腕時計に目をやる。二時五分前。手間取ってはいられない。

俺は覚悟を決めた。ベレッタのグリップをしっかり握り締め、セーフティをはずし、トリガーに指をかける。ちくしょう。ここまでひっそりとスマートに行動してきたっていうのに、最後の最後でこれに頼るしかないのか。ぶざまだ。

銃声が轟《とどろ》いたら、たちまち騒ぎになるだろう。衛兵を倒したら、一気に出口まで駆け抜けるしかあるまい。あと五分でこの基地は盛大に吹き飛ぶ。それまでにできる限り遠くまで逃げなくては。

彫像のように硬直し、息を殺して待つうちに、足音はしだいに近づいてきた。俺の心臓も高鳴ってくる。いつでも飛び出せるよう、筋肉は引き絞られた弦のように緊張している。おそらく相手はボディアーマーぐらいは着ているはず。狙うのは頭だ。

今だ！

十分に引きつけたところで、俺は隠れ場所から飛び出し、衛兵の顔面に銃口を向けた。一瞬、サブマシンガンを構えた衛兵の、驚くマヌケ面が目に焼きつく。まだ若い男だ。ためらうことなくトリガーを引いた。鉄板を連打したかのように、騒々しい轟音が続けざまに通路に響き渡る。男は寒気に襲われたかのように全身をぶるっと震わせたかと思うと、どうっと仰向けに倒れた。

　俺は駆け寄った。男の顔は血まみれだった。その額《ひたい》めがけ、念のためさらに二発撃ちこむと、死体を飛び越えた。走りながら腕時計を見る。あと四分。はたしてどこまで逃げられるのか。

　非常ベルが鳴りだしていた。


チェックポイントをいくつか。

・「俺」は物陰に身を潜めているので、衛兵が近づいてきたことが見えるはずがありません。そこに気がついて書いているかどうか。
・弾丸が命中する瞬間は肉眼で見えるはずがありません。ですから「弾丸は命中し」というストレートな文を残していたとしたら減点。
・敵の基地の中で銃を使ったなら、銃声で騒ぎが起きるはず。なのになぜ主人公は銃を使ったのか？

　最初の二点は、ト書きをちゃんと視覚化できているかを見るものです。三点目も、シチュエーションの矛盾点に気づき、理屈に合うような展開に変更していれば合格です。

　さて、あなたは合格できましたか？

駄作から学ぼう

■駄作から学ぼう

これまでに書いていなかったことを、まとめて書いてしまいます。

Q.〈どんな小説を書けば売れるんでしょうか?〉

分かりません。

大事なことなのでもう一度言います。分かりません。僕だけじゃなく、どんな作家、どんな編集者に訊ねても同じでしょう。どんな小説を書けば売れるか、明快に答えられる人はいないはずです。もし「俺は売れる小説を書くやり方を知っている！　俺の言う通りにすれば必ずベストセラーになる！」と豪語《ごうご》する人がいたら、大嘘つきです。信用してはいけません。

それを示すいい例が、〈ハリー・ポッター〉シリーズです。ご存知のように、第一作『ハリー・ポッターと賢者の石』以来、全世界でシリーズが五億冊も売れたという、ウルトラ大ベストセラーです。

この小説はもともと、シングルマザーのJ・K・ローリングさんが、貧しい中、生活保護を受けて子育てを続けながら、コーヒーショップの一画でこつこつと書き続けていたものです。当時のローリングさんは貧しさに苦しみ、心労のあまり鬱病になって、自殺も考えたことがあるそうです。

海外では、作家は著作権エージェント（代理人）と契約し、エージェントが出版社への売りこみをするのが一般的です。一九九五年、ローリングさんは完成した『ハリー・ポッターと賢者の石』の原稿を著作権代理事務所に送りました。一軒目は断られ、二軒目のクリストファー・リトル著作権代理事務所と契約を結びました。この会社は実は児童書を扱っていなかったのですが、たまたま原稿を読んだブライアニー・イーブンズという事務員の女性の目に留まり、気に入った彼女が社長を説得して契約させたのです。

クリストファー・リトル社は原稿を計一二社に送りつけましたが、どこの出版社でも断られました。「こんな小説は売れない」と判断されたのです。最終的にブルームズベリー社から出版されることになった理由は、経営者のナイジェル・ニュートンが原稿を家に持ち帰り、八歳の娘アリスに読ませたところ、「パパ、これは今まで出したどの本よりもずっと面白い」と言ったからです。契約金は一五〇〇ポンド、ハードカバーの初版部数はわずか五〇〇部でした。

その後のことは言うまでもありません。

ベストセラーになった後から、「なぜ『ハリー・ポッター』は売れたのか」を分析してみせた人は何人もいました。でも、それはみんな後づけの理屈です。一二の出版社に勤めるプロの編集者たちが揃いも揃って、〈ハリー・ポッター〉が世界的ベストセラーになるとは予想できなかったんです。事務員のブライアニー・イーブンズや、八歳の少女アリス・ニュートンがいなかったら、あの大ベストセラーは世に出なかったかもしれないんです。

僕ら作家もそうです。〈ハリー・ポッター〉が日本で最初に訳された当時、ライトノベル作家たちが、「なぜあんな大ベストセラーになったのか分からない」と首をひねっていたものでした。確かに面白いことは認めるけど、僕らがこれまで書いてきたファンタジーと、そんなに変わらないのにと。

小説ではありませんが、アンネ・フランクの『アンネの日記』にも似た話があります。戦後、ナチスの強制収容所から帰還したアンネの父のオットー・フランクは、アムステルダムの隠れ家生活で一家を支援していたミープ・ヒースという女性から、隠れ家に遺されていたアンネの日記を手渡されます。オットーは何とかそれを世に出そうとしたのですが、なかなか出版社が見つからなかったそうです。しかしヤン・ロメインという歴史家が原稿を読み、内容を評価したことで、ようやく出版が決まったのです。

今でも『アンネの日記』は読み続けられています。現在までに七〇ヶ国語に訳され、総計三一〇〇万部のベストセラーです。〈ハリー・ポッター〉もそうですが、最初に原稿を突き返した出版社は、さぞ悔しがったことでしょうね（笑）。他にも、アガサ・クリスティ『スタイルズ荘の怪事件』、アーサー・コナン・ドイル『緋色《ひいろ》の研究』、ウィリアム・ゴールディング『蝿の王』、D・H・ロレンス『チャタレイ夫人の恋人』、パール・バック『大地』、ハーマン・メルヴィル『白鯨』、ウラジーミル・ナボコフ『ロリータ』なども、出版社から一度は断られたことがあるそうです。（参考：アンドレ・バーナード『まことに残念ですが…不朽の名作への「不採用通知」160選』

〈徳間文庫〉）

こうした事例から分かるのは、**編集者にはその原稿がベストセラーになるかどうか見抜く能力はない**、ということです。〈ハリー・ポッター〉や『アンネの日記』のような大ベストセラーでさえそうなんです。もちろん作者にも、読者にも分かりません。良いか悪いか、面白いかつまらないかまでは分かっても、当たるかどうかはなかなか予想できないものなんです。

僕の場合、谷川流《たにがわながる》『涼宮ハルヒの憂鬱』（角川スニーカー文庫）を発売直後に読み、「これは売れないだろう」と思いました。面白くなかったんじゃなく、用いられているアイデアがＳＦとして先進的なものだったので、「これを面白いと思えるのは僕が年季の入ったＳＦファンだからだ」と思ったのです。ＳＦの素養のない若い読者には受け入れられないんじゃないかと。

そうしたら、どうでしょう。その後、どんどん人気を博し、ついにはアニメ化。ゼロ年代を代表する人気作品になりました。「ええ!? みんなこれがＯＫなの!?」と驚いたものです。

小説だけじゃありません。高橋留美子《たかはしるみこ》さん『うる星やつら』（小学館）や鳥山明《とりやまあきら》さん『Dr.スランプ』（集英社）、荒木飛呂彦《あらきひろひこ》さん『ジョジョの奇妙な冒険』（集英社）なども、連載開始当初、「これは面白いけども一般には受けないだろう」と思いました。

近年では、アニメ『けものフレンズ』のヒットが、まったく予想できませんでした。第一話を観て、いかにも低予算の安直な作品のように見えたので、あまり面白く思えず、切っちゃったんですよね。ところがその後、どんどん人気が盛り上がってきました。「何で、あのアニメが!?」と疑問に思ってツイッターなどでファンの感想を読み、「ああ、なるほど。こういう視点で観れば面白いのか」と納得し、評価を変えたものです。

あと、「観客動員数」とか「視聴率」とか「関連商品の売り上げ」といったデータも、あまり指標にはなりません。たとえば一九七九年に公開された宮崎駿《みやざきはやお》監督の『ルパン三世　カリオストロの城』は、初公開時の成績はあまり芳《かんば》しくありませんでした。じわじわと口コミで評判が広まっていったんです。ちなみにこの年の日本映画の配収ベスト10は、『銀河鉄道999』『あゝ野麦峠』『男はつらいよ　噂の寅次郎』『男はつらいよ　翔んでる寅次郎』『トラック野郎・一番星北へ帰る』『トラック野郎・熱風5000キロ』『ベルサイユのばら』『炎の舞』『ルパン三世（第一作）』『ホワイトラブ』……今では忘れられている作品のほうが多いですね。

TVアニメでもそうです。『宇宙戦艦ヤマト』も『機動戦士ガンダム』も、本放送時にはあまり話題にならず、関連商品も売れなくて、シリーズ途中で打ち切られています。放映終了後、熱心なファンの人気に支えられ、再評価されていったんです。

その逆――ヒットしそうに見えたのにヒットしなかった作品もよくあります。

たとえばアーネスト・クライン『ゲームウォーズ』（SB文庫）という小説。仮想現実技術が普及した二〇四〇年代が舞台で、世界一の大富豪がネット空間のどこかに隠した二四〇〇〇億ドル相当の遺産をめぐって、貧しい高校生の少年がビデオゲームの腕前とオタク知識を駆使して、社会の底辺のみじめな境遇から世界の頂点まで登りつめてゆくという、とんでもないスケールのサクセス・ストーリーです。スリルもアクションもロマンスもてんこ盛り。僕は読みながらずっとわくわくし、興奮していました。ちなみに、アメリカでは二〇一一年に発表されて大ヒット。Amazon のSF&ファンタジー部門では一位。たちまち映画化も決定しました。

ところが、これが日本では当たらなかったんです。

僕がこの小説を買ったのは、書店で手に取って、裏表紙のあらすじ紹介を読み、「面白そうだ」と思ったからです。おそらく、ほとんどの人は、この本を手に取ることさえなかったと思われます。毎年出版される『SFが読みたい！』（早川書房）の二〇一五年版でも、『ゲームウォーズ』はSFファンやSF関係者が選ぶベスト20に入っていません。こんなに面白いSFなのに！

「『ゲームウォーズ』という邦題がダサい」という意見もあります。でも原題の『READY PLAYER ONE』というのも、そんなにかっこいいわけじゃないんですけどね。

「アメリカ人好みだから日本人に合わなかったのだろう」という解釈も成り立ちません。随所に出てくる日本のアニメや特撮に関するネタは、むしろ日本人のほうが楽しめるはずです。クライマックスの●●●●●ン対●●●●ラの夢の対決とか。プロットにしても、何のとりえもなかったオタク少年が、ビデオゲームの腕前とオタク知識で勝ち進んでゆくという、まさに日本のラノベやアニメでよく見る王道の展開なんですよ。これで受けなきゃ嘘です。

ところが受けなかった。

つまりこの小説は、日本でヒットしなかった理由が見当たらないんです。唯一、考えられるマイナス要素は、SB文庫というややマイナーなレーベルから出版されたから……ということぐらいです。でも、マイナーなレーベルから出た本がベストセラーになる例も珍しくありません。

その後、スティーヴン・スピルバーグ監督によって映画化された『レディ・プレイヤー・ワン』は大ヒットしています。

映画では『スター・ウォーズ』という例があります。

一九六〇年代後半から七〇年代前半のアメリカ映画というと、『俺たちに明日はない』『イージー・ライダー』『明日に向って撃て！』『真夜中のカーボーイ』『ダーティハリー』『カッコーの巣の上で』『タクシードライバー』などなど、リアリティを重視した「アメリカン・ニューシネマ」の全盛期。暗くて、重苦しくて、最後はたいていアンハッピーエンドで終わる、そんな映画が好まれていたんです。ＳＦ映画ですら、『サイレント・ランニング』『ソイレント・グリーン』『ローラーボール』『２３００年未来への旅』など、環境破壊や未来の管理社会を描いた暗い作品ばかりでした。

その風潮に真っ向から挑んだのが、ジョージ・ルーカスの出世作『アメリカン・グラフィティ』（一九七三年）でした。一九六二年、まだベトナム戦争に突入する直前の、アメリカが明るく元気だった時代を描いた青春映画。当時のブームに逆らったこの作品がヒットしたことで、ルーカスは自信をつけ、今度はもっと明快でアクションたっぷりの映画を撮ろうと思いついたんです。それが『スター・ウォーズ』です。

それにしても無茶ですよね。一九七〇年代にＳＦ映画、それも一九三〇年代の『フラッシュ・ゴードン』のような荒唐無《こうとうむ》稽《けい》なスペースオペラを復活させる？　正気じゃありません。当時の常識からしたら、そんなのは無謀でばかげた行為です。映画について詳しい人ほど「そんなのは無理だ」「当たるわけがない」と思ったでしょう。

映画がようやく完成に差し掛かった頃、ルーカスは、スティーヴン・スピルバーグやブライアン・デ・パルマなどの監督仲間、それに友人や関係者を集め、ラッシュ（未編集フィルム）の試写をやりました。評価はさんざんだったそうです。

上映後、気まずい空気が流れ、皆一様に批判を口にし始めたが、中でもデ・パルマの作品批判は辛辣《しんらつ》だった。ダース・ベイダーを陳腐な悪玉として否定し、フォースという名の便利な魔法を冷笑し、レイア姫の両サイドの三つ編みを〝菓子パン〟呼ばわりして、冒頭に延々と流れる状況説明のスーパーインポーズの長さに耐えられないと罵倒《ばとう》した。冷めた大人の視線で観れば、どれも、ごもっともな意見だ。

そんな集中砲火の中、ただ一人、ラッシュ・フィルムを評価していたスピルバーグは、こう言い切った。「いや、一億ドルは儲《もう》かるんじゃないかな」。

清水節《しみずたかし》・柴尾英令《しばおひでのり》『スター・ウォーズ学』（新潮社）

まだ特撮シーンができていない未完成バージョンでしたから、のちに公開されたバージョンとはかなり印象は違っていたんでしょう。でも、公開直前の試写でも「こんなものは当たらない」と評価する興行関係者は多かったそうです。二〇世紀フォックスの上層部も、『スター・ウォーズ』はコケるに違いないと予想していました。

一九七七年五月二五日、『スター・ウォーズ』は全米のたった三二の映画館で公開されました。すっかり自信を喪失していたルーカスは、公開日の翌日にハワイに旅行に出かけ、世間の酷評が耳に入らないようにしていたと言われています。

でも、当たっちゃったんですよね、『スター・ウォーズ』。

初日の興行収入は二五万五〇〇〇ドルに達しました。公開している映画館は、六月には四五〇館、八月には九〇〇館に拡大。翌七八年の末までには、全世界の興行収入は四億ドルを上回りました。

このように、映画の専門家であっても、「次にどんな映画が当たるか」というのはなかなか予測できないものなんです。まして『スター・ウォーズ』のように、それまでの映画の常識を根本的に塗り替えるような作品となると、参考にすべきデータなんかありません。だから、いっそう予想は難しいんです。

Q.〈それはヒット作を予想するためのデータが足りなかったからでしょう。マーケティング・リサーチをして大衆が求めている作品を予測すれば、必ずヒットを飛ばせるんじゃないですか？〉

そういう幻想を抱いている人がよくいますけど、どうなんでしょうかねえ。ここまでに挙がったヒット作を思い出してください。これってみんな、マーケティング・リサーチから生まれた作品ですか？

たとえば『機動戦士ガンダム』。この作品が放映された当時、『マジンガーZ』から幕を開けた巨大ロボットアニメはもう下り坂で、マンネリ化していたんです。ましてや「リアルなロボットアニメが観たい」という市場の欲求なんて、まったく存在していませんでした。むしろ、それまで誰も思ってもみなかった〈リアルロボットアニメ〉という新ジャンルを打ち立てたことが、『機動戦士ガンダム』のヒットの秘訣《ひけつ》ではないでしょうか？

あるいは『ハリー・ポッターと賢者の石』は？　『宇宙戦艦ヤマト』や『機動戦士ガンダム』

は？　『うる星やつら』や『Dr.スランプ』や『ジョジョの奇妙な冒険』は？　これらは明らかにマーケティング・リサーチから生まれた作品じゃないですよね。むしろ、それまでなかった市場――そんなところに鉱脈が眠っているなんて誰も気がつかなかったところを掘り当てた作品と言えるんじゃないでしょうか？

小説の場合はどうでしょう？　実際に小説に関するマーケティング・リサーチをやって、「あなたはどんな小説を読みたいですか？」と大衆に訊ねてみたら、どんな結果が出るでしょう？きっと「『ハリー・ポッター』みたいな小説」とかいう、意外性のない回答が大半じゃないでしょうか？

そう、マーケティング・リサーチで分かるのは、「すでにヒットしているジャンルの小説」なんです。「次に当たるジャンルの小説」は分かりません。なぜなら、**読者自身がまだそのジャンルの存在を知らないんですから。**

Q.〈大ヒットした作品があれば、同じ路線の作品も売れるんじゃないですか？〉

もちろんです。たとえば『スター・ウォーズ』の直後、模倣作がたくさん作られました。日本では『惑星大戦争』や『宇宙からのメッセージ』、海外では『スタークラッシュ』『宇宙の七人』『スターファイター』などなど。他にも、同じ時代、『エイリアン』『ブラックホール』『スペースサタン』『スタートレック』など、宇宙を舞台にした作品がたくさん作られました。

模倣作が氾濫《はんらん》するのは決して悪いことじゃないんですよ。僕も『スタークラッシュ』は好きですから（笑）。でも、『スター・ウォーズ』ほどの大人気作となると、ストレートに模倣しても、オリジナルの人気を超えるのは難しいんです。実際、『スター・ウォーズ』人気に便乗して作られた多数の宇宙SF映画の中で、続編が何本も作られるほどヒットしたのは、TVシリーズの人気に支えられた〈スタートレック〉シリーズの他には、『スター・ウォーズ』とぜんぜん似ていない〈エイリアン〉シリーズぐらいのものです。

『エイリアン』の人気から分かるのは、結局のところ、作品がヒットするかどうかは、ジャンルや設定ではなく、オリジナリティによるということです。いくらヒット作である『スター・ウォーズ』の真似をしても、それだけではヒットしない。『エイリアン』の場合、むしろ『スター・ウォーズ』にない部分が観客を惹きつけたんです。

小説も同じです。

一九八九年、第一回ファンタジア長編小説大賞で、神坂一《かんざかはじめ》さんの『スレイヤーズ！』（富士見ファンタジア文庫）が準入選になりました。従来の異世界ファンタジー小説は、『指輪物語』などの影響で、重厚でシリアスなものが多かったんですが、『スレイヤーズ！』は軽妙でコミカルなタッチを全面に押し出したのが画期的でした。続編が何冊も書かれ、僕も当時、夢中になって読んだものです。

その人気の最中、ファンタジア文庫の編集者がこうぼやいていたのを聞いたことがあります。

「神坂一は二人いらないんだよ」

その頃、ファンタジア長編小説大賞には、『スレイヤーズ！』に影響されて、似たような内容のコミカルな異世界ファンタジーが殺到していたんです。もちろん模倣していてもオリジナリティがあればいいんですが、あまりにも神坂一そっくりな作品は、編集者としても欲しくない。だって、そんな作品、神坂さん本人に書いてもらえばいいんですから。でしょ？

同じ頃、マンガ雑誌の編集者にも似たようなことを言われたことがあります。僕と同じく関西の出身で、マンガ好きが高じて東京に出て編集者になった男でした。

「たとえば、サッカーマンガが二本連載されてる雑誌があったとする。どっちもけっこう人気がある。すると、『この雑誌はサッカーが受けるんやな』と勘違いして、サッカーものを投稿してくる奴がおる。はっきり言うて、それはアホや。

編集部としては、一冊の雑誌にサッカーマンガは三本も欲しないねん。その新人の原稿を載せようとしたら、ヒットしてる二本のうちどっちかを終わらせんとあかん。そんなこと、簡単にできるわけないやろ？　どうしてもその雑誌に載りたいんやったら、むしろサッカーマンガ以外のジャンルで勝負すべきなんや」

どちらの編集者の話も、基本は同じです。編集者が求めているのは、人気作と同じ路線の作品ではなく、**それまでになかった路線の作品**なんです。

新人賞で重視されるのは、小説の完成度よりもオリジナリティです。僕も二度ほど新人賞の審査員をやったことがありますが、いくら完成度が高くても、どこかにあったような作品には惹かれませんでした。少しばかり粗削《あらけず》りではあっても、オリジナリティがあり、新しさを感じる作品に魅力を覚えます。

Q.〈世の中には似たような内容の小説があふれかえってますよね？　本当に小説にオリジナリ

ティなんて求められてるんですか?〉

ああ、ありますねえ。小説の世界でも、ヒット作が出ると、柳の下のドジョウを狙って、似たような小説が出るものです。僕もちょっと前に、ドラマ化もされて大人気の某ミステリ・シリーズの露骨な二番煎じをうっかり読んでしまい、あまりの新鮮味のなさに脱力しちゃったことがあります。

近年、日本では〈異世界転生〉ものの作品が大流行しています。現代日本に暮らしていた主人公が、何らかの事故でファンタジーRPGの世界に閉じこめられたり、急死してファンタジーRPG風の世界に生まれ変わるという話です。本当にものすごい数が書かれていて、投稿サイトでも、ファンタジーものの投稿作品の多くが〈異世界転生〉ものだそうです。

そういう作品って、**マクドナルドのハンバーガー**だと思います。

マクドナルドのハンバーガー、好きな人が多いですよね。僕もよく外出した時に食べます。いつどこの店で食べても同じ味で、はずれがありませんから、安心して食べることができます。

若い頃にマクドナルドでバイトしたことがあるので、店内の事情は少し知っています。ハンバーガーにせよフライドポテトにせよ、調理の手順は完全にマニュアル化されています。ハンバーガーの肉(パティ)は工場で円形に加工され、冷凍された状態で店に運ばれてきます。店では冷凍庫から出してきたパティを解凍して焼くだけ。焼く時間もマニュアルで正確に定められています。それに従えば、日本全国どこの店でも同じ味のハンバーガーが食べられるわけです。ええ、素晴らしいですよね。

でも、**料理人を目指す人が、マクドナルドでハンバーガーを作ることを目標にしちゃいけないと思うんですよ。**

一番の問題は、「マクドナルドでハンバーガーを作ること」は、マニュアルに従えば誰でもできるということです。当然、作るのはあなた以外の誰でもいいんです。お客さんにしてみれば、誰がハンバーガーを作ろうと関係ありません。あなたのお店に来る必要もない。マクドナルドのマニュアル通りに作られたハンバーガーでありさえすれば、日本全国、どこのお店に行っても同じハンバーガーが食べられるんですから。

それって空《むな》しくないですか？　お客さんに褒めてもらうなら、他の誰でも作れるハンバーガーより、あなたしか作れない料理で評価してほしくないですか？

Q.〈でも何か、ヒットする法則というものはあるんじゃないですか？〉

よくそういうことを言う人がいます。いくつかのヒット作を並べて、何らかの共通点を見出し、「これがヒットする法則だ！」と主張する人が。

実際にはそれは法則でも何でもありません。「ジーン・ディクソン効果」というやつです。ジーン・ディクソンは二〇世紀アメリカの占星術師で、ジョン・F・ケネディ大統領の暗殺（一九六三年）を予言したことで有名です。しかし、彼女の予言を詳細に調べてみると、そのほとんどがはずれていたのです。ジーン・ディクソンは初めて月面に着陸するのはソ連だと予言していました。一九八〇年代に世界大戦が起きるとか、彗星《すいせい》が大西洋に落下するとか、アメリカに初の女性大統領が誕生するとかいったことも予言していたのです。数学者のジョン・アレン・パウロスは、多くのはずれた予言が忘れ去られる一方、少数の当たった予言だけが宣伝される現象を「ジーン・ディクソン効果」と名付けました。

これは小説や映画にも当てはまります。「ヒット作の法則」の存在を信じる人は、いくつかのヒット作品の特徴を列挙し、それがヒットの法則だと主張します。「この法則に従えばヒットは間違いなしだ！」と。実際、そうした主張を裏付けるように見える例もあります。しかしそれは、法則に従っていない例から目をつぶっているだけです。

たとえば『「の」の法則』を唱えている人がいます。宮崎駿監督の映画のタイトルには『風の谷のナウシカ』『天空の城ラピュタ』『となりのトトロ』『魔女の宅急便』など、すべて「の」の字が入っている。それがヒットする法則だ……というのです。即座に「じゃあ『風立ちぬ』は？」とツッコんでしまいますよね。

ちょっと前、自分の小説がなかなか売れてくれないとツイッターでぼやいたことがあります。そうしたら、「タイトルにフックがないからだ」と助言してきた人がいました。もっと努力していいタイトルを考えろ、人目を惹くようなタイトルをつければ売れるはずだ……というのです。『神は沈黙せず』とか『地球移動作戦』とか『プロジェクトぴあの』とか『去年はいい年になるだろう』とか『シュレディンガーのチョコパフェ』とか『名被害者・一条（仮名）の事件簿』とか、自分では十分すぎるほど人目を惹くタイトルだと思うんですが。あと、僕の小説で発行部数が多いのは、どっちかというと『アイの物語』とか『詩羽のいる街』とか『サーラの冒険』とか、地味なタイトルの本なんですけどね。

それに、この人は大事なことを忘れています。だったら『ハリー・ポッターと賢者の石』はどうなるんですか？　あれ、フックのあるタイトルですか？　あるいは『スター・ウォーズ』は？『アンネの日記』は？

もちろん人目を惹くようなタイトルを考えるのは大切です。でも、「人目を惹くタイトルをつければ売れる」なんていう単純な法則など存在しないのも確かなんです。

Q.〈でも次々にヒットを出している作家さんもいますよね？　ああいう人はヒットする法則を知ってるんじゃないですか？〉

確かに多くのヒットを飛ばし、「ベストセラー作家」と呼ばれる人は何人もいます。でも、そういう人はたいてい、前に大きなヒットを飛ばしたことがあるんです。

以前に一発ヒットを飛ばした作家が新作を発表する場合、出版社は今度の作品もまたヒットさせようと、宣伝に力を入れます。初版部数も通常より増やします。多くの書店に行き渡らせ、平積みにすることで、売れる可能性も高くなるわけです。また、前の作品を気に入った読者なら、次の作品も読みたくなるでしょう。そうやって一冊ごとにファンを増やし、何万人もの固定読者をつかんでゆく。そうすれば着実にヒットの可能性も増えてゆくはずです。

自然にファンが増えてゆくことはありません。ベストセラーを出すことはもちろん難しいんですが、ベストセラー作家であり続けるためには、人気を維持するためのたゆまぬ努力が必要です。一作ごとに新しい趣向を考え、魅力的なキャラクターを創造し、ストーリーに凝《こ》り、より面白くして、ファンを増やしていかなければならないんです。

過去には、それまでほとんど創作活動をしていなかった人が、いきなり小説を書き、ミリオンセラーになった例がありました。僕の目から見て、その人の小説家としての能力は、お世辞にも褒められたものではなく、ヒットはどう見ても偶然でした。しかし、作者は一作目でヒットを飛ばしたせいで慢心しちゃったんでしょうね。インタビューやエッセイの中で自分の小説を自画自賛し、同じ手法でいくらでもヒットを飛ばせるかのように豪語していました。

実際はどうだったかというと、同じような内容の二作目はあまり話題になりませんでしたし、三作目以降はほとんど見向きもされませんでした。あっという間にベストセラー作家の座から転落してしまったんです。

さして優れているわけでもない作品が、突然ベストセラーになり、またすぐに飽きられる——こういう怪現象がしばしば起きるのが出版界です。

そもそも本の面白さと売り上げは正比例の関係にはありません。一〇〇万部売れた本が、一万部しか売れなかった本より一〇〇倍面白いわけではないんです。先の『ゲームウォーズ』のように、本当に面白い作品なのに売れないとか、逆にそれほど面白いわけでもない作品が売れることもよくあります。

Q.〈じゃあ、ヒットさせようと努力するのは無駄ということですか?〉

いいえ、無駄ではありません。面白さと売り上げは正比例の関係にはなくても、相関関係があるのは確かです。本当に面白ければ、その評判が口コミで拡大し、売り上げにつながるはずですから。面白い作品ほど売れる可能性も高いと言えます。

だから作家にできることは、**とにかく面白い小説を書き、ヒットする確率を上げること、**それだけしかありません。

Q.〈私が面白いと思うことを、読者も面白がってくれるんでしょうか？　私の書く題材はとてもマイナーなんですが〉

最初に話したことを思い出してください。年に三冊か四冊の本を出すとして、とりあえず一作につき一万部ぐらい売れれば専業作家として食べていけます。だから最初は何十万部ものベストセラーを狙う必要はありません。とりあえず**一万人の読者に支持されることを目標にしましょう。**

一万人というと多いような気がするかもしれませんが、よく考えてください。日本の人口の約一万分の一です。たとえあなたの書く題材がマイナーであっても、日本全国で一万人に一人ぐらいなら、共感してくれる人がいる気がしませんか？

世の中には、メジャーな小説、すべての人から支持されるような小説を目指そうとしている人がいます。はっきり言えば、そんなものは幻想です。テレビや新聞で話題になるような一〇〇万部の大ベストセラーでさえ、実は日本人の一〇〇人に一人しか買っていないんです。大多数の人にとっては、「『〇〇』？　ああ、最近、なんかよく見かけるタイトルだよね。読んだことないけど」という程度なんです。

〈ＢＩＳビブリオバトル部〉の第一作『翼を持つ少女』では、ビブリオバトル部の部長にこういうデータを提示させています。


「ああ、これだ。全国学校図書館協議会と毎日新聞社が毎年行なっている学校読書調査のデータだ。二〇一三年の調査では、高校生が五月の一ヶ月間に読んだ本は、教科書と参考書とマンガと雑誌は別にして、平均一・七冊だそうだ」

「そんなに少ないんですか⁉」

「ああ、ここ三〇年ほど、一・〇冊から一・九冊の間で推移してる。ちなみに小学生は一〇・一冊、中学生は四・一冊。歳を取るほど本を読まなくなっていくのがよく分かるな。一ヶ月間に一冊も本を読まなかった高校生は、全体の四五パーセント……」

部長はｉＰａｄの画面から顔を上げ、俺に皮肉っぽい笑みを投げかけた。

「分かるか？　僕らみたいに月に何冊もの本を読む人間は、それだけですでに希少種、マイノリティなんだよ」


そう、僕ら作家が相手にしているのは、最初からマイノリティなんです。あなたの書く小説が日本人の大多数から支持されるなんてありえません。日本人の一万人に一人が読んで気に入ってくれればいい――そういう心構えで臨みましょう。

何を書けば当たるかなんて、とりあえず考えなくていいんです。それよりも、あなた自身が面白いと思える作品を書くことに全力を注ぐべきです。そして、あなたの書き上げた作品を気に入ってくれる人が現われることに期待しましょう。

Q.〈どうすれば面白い作品が書けるんでしょうか？〉

必ず面白い作品が書けるコツは、僕も知りません。しかし、作品が面白くなる可能性が確実に高くなる方法は知っています。

それは**駄作を書かないようにすることです。**

「駄作ではない作品」＝「傑作」ではないのですが、駄作を書かないように意識するのが、傑作を書くための第一歩であるのは確かです。

そんなの当たり前だって？　でも、考えてみてください。マンガにせよ映画やドラマやアニメやゲームにせよ、いったい世の中にはどれだけたくさんの駄作がありますか？　もちろん小説だってそうです。あなたもこれまでの人生の中で、何度かひどい駄作を読んでしまい、「金と時間を返せ！」と思ってしまったことがあるんじゃないですか？

しかもそうした、「多くの人の目にふれた駄作」は、駄作全体のごく一部なんです。それ以外にも、新人賞に応募したけど一次選考で落とされたとか、編集部に持ちこんだけどボツにされたとかで、出版されることなく終わった駄作が、出版された駄作の何百倍もあるはずです。

講談社の〈メフィスト〉という文芸誌があります。かつては紙媒体だったのですが、二〇一六年から電子版に完全に移行しました。（二〇二一年、さらにリニューアル予定）

その〈メフィスト〉、いつも巻末には編集者の座談会が載っています。メフィスト賞に応募された作品の中から、編集者たちがそれぞれお気に入りの作品を持ち寄ってプッシュするというものなんですが、最初の頃、選考をくぐり抜けてきた優秀な作品以外にも、毎回、一〇〇編以上の応募作すべてに数行程度の短い選評がついていたんです。(二〇一四年から廃止)

これが実に面白かった！　選評をざっと読むと、どういう作品がボツになるかが一目瞭然なんですから。

「主人公のキャラ・世界観・語り口が不整合」「無駄な要素が多いので、狙いが分からない」「このオチが最善だとは思えず、脱力してしまいました」「一本道のアドベンチャーゲームをプレイしているよう」「文章は読みやすいが、あまりに内容が軽い」「展開の複雑さに読者不在を感じる」「描かれる世界観が小さく、起こる事件は偶然性に頼りすぎている」「次回作は必ず書き上げたあと、途中で話を切らず、半分まで推敲《すいこう》して最長五百枚に。密度を上げねば成長はありません」「ストーリーと文章にメリハリがないので、リーダビリティが感じられない」「とりとめがなさすぎる。起承転結をしっかりと」「主人公に感情移入できない。行動半径が狭すぎるしラストに驚きがなく、先が読めてしまう」「未来の設定なのに、もろもろの環境状況が現在と同じで拍子抜け」「主要登場人物が多すぎます。それぞれの人物のエピソードでお腹いっぱいです。本筋がどこにあるのか読みきれません」「空想をただ連ね、雰囲気のみで勝負している」「セリフの応酬がアニメふうで軽い」「この内容で二千枚はかなり厳しいです……。メフィスト賞はエンタテインメントの賞です」「言葉遊びしたいなら他でどうぞ」「タイムスリップものとしての新しさがなく、過去の時代の描き方も学習漫画風で小説らしさが希薄」「霊が出てくる必要のない話」「世界観の小さな直球ファンタジー。物足りない」「読み進めるうえで必要な情報の開示が遅い」「文章や用語、会話が古く、若い読者には厳しい」「設定を読まされている感が強い」「テーマがストーリーにうまくからめられていないと感じます」「会話と思考で構成され、エピソードが足りない」「キャラクターはいいが、じゃれているだけで話の読み筋がない」「ストーリーに既視感がありました。ヒーローになるまでが長すぎます」「自己満足の悪ふざけだけで、物語になっていない」「幻想的な情景は目に浮かぶのですが、それ以外に読ませるものがありません」「思いつき一発、勢いだけで書いてしまった印象」「伝奇小説のけれん味が少なく、生真面目な作品。もっと軽やかに派手に書いてほしい」「文章が説明的で冗長」「あきれるほど簡単に事が進みリアリティに欠ける」「よく調べてあるが、話があっちこっち飛びすぎ、なおかつ登場人物が多すぎ、読み手は大混乱。整理を」「ストーリーがどこへ向かっていて誰が主人公なのか三百枚読んでもわかりません……」

他にもいっぱいあるんですが、これぐらいにしておきます。これらをざっと読むと、どういう作品がメフィスト賞の一次選考ではねられるかが、よく分かりますよね？

逆に言えば、**ここで指摘されている欠点に注意すれば、メフィスト賞の一次選考は通る**ということなんです。無論、最終選考まで行きつけるかどうかは分かりませんが、とりあえず一次選考を通らないことにはどうしようもないですよね。

けっこう多いのが「長すぎる」という指摘です。メフィスト賞は最初の頃、原稿用紙換算で三五〇枚以上、上限がないというものだったので、調子に乗ってだらだらと書いてしまう人が多く、編集者も辟易《へきえき》してたんでしょう。

それにしても、なぜ駄作を生み出してしまう人がこんなに多いんでしょう？　最大の理由は、**何をすれば駄作になるかが分かっていない人が多い**からだと思います。

ですからまず、駄作から学ぶことを心がけましょう。と言っても、わざわざ駄作を探す必要はありません。前に書いたように、あなたもいろんな作品に接していれば、必然的に何度も駄作にぶつかるはずですから。

ただ、駄作を読み終わって（映画やドラマの場合は観終わって）、「ああ、つまらなかった」で済ませていませんか？　それはもったいない。あなたが作家を目指すつもりなら、駄作にぶつかってしまったことによる時間と金の損失は、傑作を生みだすための反面教師とすることで取り戻すべきです。

具体的に言うと、**「自分はなぜこの作品を駄作だと思ったのか？」**を分析するんです。「主演の役者の演技が下手だった」とか、アニメやマンガの場合は「作画が悪かった」といった不満は、この際、置いておきましょう。小説を書く参考になるのは、その駄作のプロットや会話など、小説にも応用がきく部分に関してです。

「長すぎる」という欠点もそのひとつです。どんな物語でも、それを語るのに適した長さがあるはずです。それに気づかず、不必要なことまで長々と書いてしまうからつまらなくなるんです。

他の人の小説をたくさん読んでいれば、不必要に長すぎて退屈する話にぶつかったことがあるはずです。その体験を覚えておいたら、自分で小説を書く時に、「長くなりすぎないようにしよう」と注意するはずです。

さらに、できることなら、**あなた自身でプロットを書き直してみましょう。**ダメな物語がどうすれば良くなるのか考えて、納得のいく形に変えてみるんです。これは間違いなく、小説のプロットを作る修業になります。

僕の場合、映画（特に日本映画）を観ていて嫌になるのは、クライマックスのスペクタクル・シーンの直前に、長々と男女の別れのシーンが入ることです。リメイク版の『日本沈没』（二〇〇六年）とか『SPACE BATTLESHIP ヤマト』（二〇一〇年）とか。

特に『ヤマト』の場合、地球がピンチに陥っていて、これから急いで敵に体当たりしなくちゃいけないという場面で、古代進《こだいすすむ》（木村拓哉《きむらたくや》さん）と森雪《もりゆき》（黒木《くろき》メイサさん）が長々と別れの場面を演じるんですよ。もちろん、その間、話はストップしています。これから盛り上がるぞというところで、えんえんと愛を語られるので、話のテンションが落ちちゃうんです。僕なんかは「いちゃいちゃしてないで、さっさと特攻してこい！」と言いたくなりました（笑）。

だいたい、『日本沈没』や『ヤマト』の観客は、ラブシーンなんか観に来たわけじゃないでしょ？　派手なカタストロフや戦闘シーンを期待していたはずじゃないですか。それなのに何でわざわざクライマックス直前に退屈なシーンを入れて、テンションを落とすようなことをするんですか？　理解できません。ラブシーンが必要なら、クライマックスに至るずっと前に済ませておけばいいのに。

だから自分の小説では、そうした間違いをやらないようにしています。たとえば『ＭＭ９』『ＭＭ９—invasion—』『ＭＭ９—destruction—』では、いずれもラブロマンスらしきものがあるのは話の途中までです。そういう話は前の方で済ませてしまって、クライマックスの戦闘シーンに突入してからは、一気呵成にラストまで突っ走るように心がけています。

『地球移動作戦』では、ヒロインの魅波《みは》と宇宙飛行士のシリンクス（二人とも女性です）を恋人同士と設定しました。しかし、クライマックスの〈サーカス作戦〉に突入してからは、二人の会話はたった一箇所、それも最小限の長さしかありません。これ以上長くするとテンションが落ちるというぎりぎりまで削ってあります。

他にも日本映画で気になるのは、悪役をなぜか好意的に描いてしまうことです。

『新幹線大爆破』（一九七五年）という東映映画があります。速度が時速八〇キロ以下になると爆発する爆弾が新幹線に仕掛けられ、止まれなくなってしまうという、スケールの大きなサスペンス作品でした。のちにヤン・デ・ボン監督の『スピード』（一九九四年）でも、同様の設定が用いられています。

日本ではあまりヒットしなかったのですが、フランスでは短縮版が公開されて大ヒットし、のちに日本で「凱旋公演《がいせん》」と呼ばれる短縮版の上映が行なわれました。僕は公開時に観ていなかったので、凱旋公演で短縮版を最初に観ました。「なんて面白い映画だ」と感心したものです。

ところが後で全長版を観て、愕然としました。全長版はぜんぜん面白くなかったんです。というのも全長版では、高倉健《たかくらけん》演じる犯人グループが、なぜこんな犯罪を計画するに至ったのか、彼らの過去のエピソードが詳細に語られていたんです。この回想シーンがやたらに長くて退屈！

新幹線が終点の小倉に到着するまでに爆弾を処理しなくてはならないという秒単位のサスペンスのはずなのに、その回想シーンのせいでサスペンスが中断されてしまうんです。高倉健の出演シーンを長くしたかったのかもしれませんが、そのせいで物語がつまらなくなってしまうのでは本末転倒です。

だいたい、犯人たちが「誰も傷つけない犯罪を目指す」とか言っているのがお笑い草です。新幹線に爆弾を仕掛けて、大勢の人を危険にさらすようなことをした連中ですよ？　そんな連中に「こんな悲しい過去がありました」と同情させてどうするんですか。そんなの、矛盾してるでしょ？

その点、フランス公開版では犯人側のドラマはばっさりカットされ、警察の対応に絞りこんでおり、ぐっとテンポが良くなっていました。だから日本では当たらなくても、フランスの観客には受けたんでしょう。

同じようなミスを映画版『さよならジュピター』（一九八四年）もやっています。太陽系壊滅の危機を回避するために行なわれている木星爆破計画を、ジュピター教団というカルト集団がテロを起こして妨害するんですが、ジュピター教団の教祖のピーターという男が、教団員がテロをやっているのを知りながら止めようとしない。どう見たってこいつが諸悪の根源なんですが、映画ではなぜか彼を好意的に描いてるんですよね。

『地球移動作戦』では、計画を妨害するジュピター教団みたいな〈マルスの世紀〉というカルト組織を出しましたが、彼らには一切、感情移入はしませんでした。『新幹線大爆破』もそうですが、大勢の人間の殺傷を企む連中を好意的に描くのは、僕は間違いだと思ったからです。

ちなみにジュピター教団の教祖は、ジュピターという名のイルカをかわいがっていて、いつもギターを弾いているという設定でしたが、〈マルスの世紀〉の教祖は、海岸でマルスと名づけたグリーンイグアナを肩に乗せ、全裸でテルミンを演奏しているという設定にしました（笑）。

他にも、僕が忘れられない駄作に、『ミカドロイド』（一九九一年）というオリジナルビデオ作品があります。大戦末期、日本陸軍の研究所によって、本土決戦用の兵器として秘密裏に作られたサイボーグ兵士「ジンラ號《ごう》」。東京の地下で半世紀近くも眠り続けていたその殺人兵器が目を覚まし、人を襲いはじめる……という話です。

設定が面白そうなので観てみたんですが、これが本当につまんなかった！

第一に、人間を超えた能力を持つサイボーグ兵士が暴れるという設定なのに、スケールが小さくて、ぜんぜん派手さが感じられないんですよ。予算の関係もあるんでしょうけど、話のほとんどが地下で追いかけっこをしているだけで、『ターミネーター』に遠く及ばない。

第二に、生身の兵士を改造して作られたサイボーグなのに、その内面が描かれていないんです。終戦の年から記憶がなく、いわば半世紀近くも昔からタイムスリップしてきた男に、一九九〇年代の東京がどう映るのか。そしてなぜ暴れるのか。制作の背景には視聴者にはわからないこともたくさんありますが、気になって仕方ありませんでした。

『『ミカドロイド』って本当はこういう話じゃないよね」

そう疑問に思って、僕は自分なりの『ミカドロイド』を——「こうあるべきだった『ミカドロイド』」を考えました。そして五年後、〈妖魔夜行〉シリーズの一編、『妖魔夜行　魔獣めざめる』として書き上げました。

この小説では、太平洋戦争中に日本陸軍が雷獣を改造したサイボーグ妖怪を作っていたという設定にしました。改造人間ではなく改造妖怪というだけで、設定は『ミカドロイド』とほぼ同じです。しかし、プロットはぜんぜん違います。

まず、主人公である雷獣・黒焔《こくえん》の内面を重点的に描くことを心がけました。東京大空襲で愛する人を失い、アメリカへの復讐に燃えている。その後、爆撃によって東京の地下に埋もれてしまい、平成になって生き返ってきた。

さて、昭和二〇年までの記憶しかない者にとって、平成の世の中はどう映るでしょうか？　執筆にかかる前、僕は話の舞台である新宿東口にロケハンに出かけました。そして、黒焔の心理を考えながら街を見渡してみたのです。

真っ先に気がついたのは、看板やネオンサインに使われているアルファベットの多さです。街に氾濫している言葉の多くが英語。女性の服装にしても、昭和二〇年の風俗しか知らない者にとっては、ミニスカートやノースリーブはショックでしょう。しかも若い男女が腕を組んで歩いています。ビルの壁面の大型テレビには、下着のＣＭが流れています。

黒焔は日本が戦争に負けたことを実感します。日本は完全にアメリカの文化に取りこまれてしまった。もう自分が守ろうとした日本はどこにも残っていない……と。

昔の妖怪仲間は、彼を説得しようとします。もう日本は平和になったんだ。恨みを忘れろと。でも、黒焔にとって、まだ戦争は終わっていません。東京が連日のように爆撃を受け、多くの人が殺されていたのは、彼にとってつい昨日のことなんですから。

アメリカへの復讐の念に突き動かされた黒焔は、大胆な計画を実行に移します——横須賀に近づく原子力空母エンタープライズを襲撃し、核弾頭を奪って、アメリカに落とそうとするのです。

このエンタープライズ襲撃のシーンは、それまでの〈妖魔夜行〉シリーズの中でも最もスケールが大きく、派手なものになりました。このシリーズでは、妖怪の存在は一般には秘密ということになっているので、目立つ場所で大きな事件が起こせないという制約があったんです。

でも、軍人以外に目撃者のいない洋上の空母となると、思い切って派手なことができます。大勢の死傷者も出ますが、実はアメリカ政府も妖怪の存在を知っていて隠しているので、事件は後でアメリカがもみ消してくれます（この設定はこの話で初めて出しました）。

そして何より、妖怪と原子力空母という組み合わせが、抜群に面白い！

執筆前に、空母に関する本を買ってきて、内部構造の図を眺めながら、「ここから侵入して、この区画を通ってここに抜けて」と、キャラクターの移動ルートを考えました。空母を扱ったテレビのドキュメンタリー番組を録画して、艦載機を発進させるカタパルトのメカニズムなども観察しました。

こうして『魔獣めざめる』は、ヒントにした『ミカドロイド』とまったく違う話に――はるかにスケールが大きくて面白いアクション大作になりました。

これまで娯楽小説の書き方をレクチャーしてきました。娯楽小説の条件は、言うまでもなく「面白いこと」です。

でも、それを見失っている人が多いんですよね。話を面白くするのが目的であることを忘れている人。「なぜこんなつまんないことを長々と書くんだろう」とか「こんなことをやったら駄作になるに決まってるのに」と思えることを平気で書いてしまう人。

料理に必要なのは味見です。レシピ通りに作るだけでなく、作りながら時おり味見をしていて、美味《おい》しいかどうかチェックしなければなりません。「塩加減はこれぐらいでいいか」とか「もうちょっと茹《ゆ》でたほうが」とか確認しながら、味を調えてゆくのです。

小説も同じです。これから小説を書こうとしているあなた、小説を書く前に、そして書いている間も、必ず味見をしてください。自分に何度も問いかけてみるんです——**「これは本当に面白いのか？」**と。

もちろん小説の面白さというのは主観的なものなので、正解はありません。重視するべきなのは、他のみんなから見て面白いかどうかじゃなく、あなたにとって面白いかどうかです。

プロットを練っている間、悩みながらも楽しかったですか？　アクションを書いている間、高揚感はありましたか？　怖いシーンでぞくぞくしましたか？　悲しいシーンや感動的なシーンで本気で泣けましたか？

自分の創造した作品世界に、どっぷり入りこんでいましたか？

そうした質問に自信を持って「はい」と答えられるなら、あなたの料理は十分にお客様にお出しできるものであるはずです。あとは、お客様の評価を待ちましょう。日本人の一万人に一人が、あなたの料理を口にして、舌鼓《したつづみ》を打ってくれることを。

「人事を尽くして天命を待つ」——それが作家の心構えです。なかなか幸運は降りてこないものですが、人事を尽くさなければ、ヒットする確率もゼロです。

これまでの過程で、ひとつだけ触れなかったことがあります。

それは、「あなたがどんな小説を書くべきか」です。

小説にはたくさんのジャンルがあります。ホラー、サスペンス、ミステリ、SF、コメディ、アクション、ラブストーリー、風刺……あなたが書くべきなのはその中のどれなのか。僕にはそれをお教えすることはできません。

どんな話を書くべきか――いいえ、どんな話が書きたいのかは、あなた自身が決めることなんですから。

「ホラーが書きたい」とか「コメディが書きたい」とか「恋愛ものが書きたい」とか、ジャンルで考えるのもいいでしょう。「〇〇さんみたいな小説が書きたい」という憧れで書きはじめるのもいい。プロ作家を目指さなくても、アマチュアで気楽に書き続けてもいいでしょう。でも、ひとつだけ大事なことを忘れないでいてください。

あなたにとって、それが楽しいかどうかです。

書いている間は苦しいことも多いでしょう。できあがった後も、プロの作品と比較して、完成度があまり高くないと気づき、劣等感に苛まれるかもしれません。

でも、出来がどうあれ、ひとつの作品を完成させたなら――この世に存在する何千何万というフィクションの列に、あなたの作品を新たに加えられたことを「楽しい」と感じられたなら、それが創作を続けるための最大の原動力となるはずです。

あとがき

この本を読まれた方に、それ以外の僕の本を紹介したいと思います。
『トンデモ本？　違う、ＳＦだ！』（洋泉社、二〇〇四年）は初心者向けのやさしいＳＦ入門書。本書でも紹介したＣ・Ｌ・ムーアの『暗黒神のくちづけ』（ハヤカワ文庫ＳＦ）についてかなり長く語っています。あなたもムーアの素晴らしい文章に酔ってください。他にもシャーリン・マクラム『暗黒太陽の浮気娘』（ミステリアス・プレス文庫）などのＳＦファンにおすすめの本も紹介しています。

その続編『トンデモ本？　違う、ＳＦだ！　RETURNS』（洋泉社、二〇〇六年）では小説だけではなくアニメやマンガ、映画も紹介しています。ここでは東宝映画『妖星ゴラス』を紹介、魅力を存分に語りました。この映画のアイデアは二〇〇九年になって、僕の小説『地球移動作戦』（ハヤカワ文庫ＪＡ）で使用しました。その後、前日談となる『プロジェクトぴあの』（ハヤカワ文庫ＪＡ）も発表しています。

『宇宙はくりまんじゅうで滅びるか？』（河出書房新社、二〇〇七年）は僕の小説のあとがきや解説を一冊にまとめた本。処女長編『ラプラスの魔』（角川スニーカー文庫）から『時の果てのフェブラリー』（徳間デュアル文庫）『パラケルススの魔剣』（ログアウト冒険文庫）『妖魔夜行』（角川スニーカー文庫）『サーラの冒険』（富士見ファンタジア文庫）まで集めまくりました。タイトルは『ドラえもん』から取らせていただきました。この『創作講座　料理を作るように小説を書こう』のサブテキストとして読んでいただきたい一冊です。

それと『宇宙はくりまんじゅうで滅びるか?』の中での唯一の書き下ろし「大阪府で三番目ぐらいに幸せな家」は、僕を支えてくれた妻と娘への愛を綴った絶品のエッセイ。これもみなさんにおすすめしておきます。

『プロジェクトぴあの』の文庫版あとがきでも書きましたが、僕は三年前に脳梗塞を発症して、今では新しい原稿を書けない状態が長く続いています。本書の原稿にしても、東京創元社さんにずいぶん手直しを受けて、やっと書けたもの。東京創元社さんにはどれだけお世話になったことか。この場をお借りして深い感謝を捧げます。

そして原稿の手直しを手伝ってくれた我が娘、美月へ。ちゃんとこうして本書ができたのはお前の働きがあったからだ。この原稿を書き上げるまでには、ずいぶん喧喧囂囂《けんけんごうごう》の議論を交わしたね。あれはいい思い出になったと思う。だからこの場でもう一度、感謝を捧げたい。どうもありがとう。

そして我が妻、真奈美へ。君の献身的な介護に支えられて、僕はこうして生きてきた。何年も苦労をかけたけど、君にはどれだけ感謝しても足りない。何年先になるか分からないけど、いつかこの病気が治る日が来るなら、その時には全快祝いに君たち二人には美味しいごちそうを振る舞いたいと思う。

解説　小説世界の《銀河百科事典《エンサイクロペディア・ギャラクティカ》》

芦辺　拓

——あなたの目の前にあるのは、真っ白な紙、あるいは新品の原稿用紙、はたまた何も入力されていないパソコンやスマホ、タブレットなどのディスプレイ。ひょっとしたら、ふだん学校で使っているノートの余白かもしれませんね。

とにかくあなたはそこに、何かを書きこもうとしている。そう、何かの《物語》を。

でも、そこであなたはフリーズしてしまう。手は動かず、どうかすると頭の中まで真っ白になってしまっている。

書きたい中身がないわけではないのです。かっこいいアクション、ばっちり決まったセリフ、スペクタクルな風景——そうしたものは脳内にあるにはあるのですが、その先がもう何ともならない。場面は思い浮かんでいても文章にはならず、ほんの少し書けたとしても、あとがいっこうにつながらない……。

この本を手に取るような人なら、きっとこんな体験をしたことがあるのでありませんか。

あなたの中には、これまで読んだり見たりした物語が、それは小説だけでなく漫画や映画もふくまれるでしょうが、いろいろと蓄積されています。面白くてワクワクするそれらの中に、いつまでも浸っていたいという願いが、いっそ自分でも書いてみようかという思いにつながり、そこでペンを持つなりキーボードに向かうなりしたのですが、これがどうしたことか、にっちもさっちもいかないのです。

……おやおや、ノートに鉛筆で思いつくまま書き始めたあなた、そんなにページを破っては捨てていると、そのうちなくなってしまいますよ。ああ、いつまでもモニターの白い画面をながめていられないというあなたも、あきらめて電源を切ってはいけません。

まぁ、よほど天与の才に恵まれ、芸術の女神《ミューズ》に愛された、生まれながらの作家でもなければ、こんなものでしょうが、それでもなお物語を――その表現形式の一つとして小説を書いてみたいと考え続けているのではありませんか。

だとしたら、いったいどうしたらいいのか……それに答え、自分の中に物語を作り出し、それを小説という形で送り出す方法を教えてくれるのが、山本弘さんが惜しげもなく創作の秘密を開陳した本書『創作講座　料理を作るように小説を書こう』なのです。

小説の書き方については、これまで実にたくさんの本が出版されましたし、日本全国で開かれている創作講座に至っては数えきれません。前者の中にはディーン・Ｒ・クーンツ『ベストセラー小説の書き方』（朝日文庫）、野田昌宏『スペース・オペラの書き方』（ハヤカワ文庫ＪＡ）、技法書ではないものの作品の制作裏話が満載された井上夢人『おかしな二人　岡嶋二人盛衰記』（講談社文庫）といった優れたものがあり、私も作家志望者には特にこの三冊を推奨してきました。

今回、二、三十年ぶりに四冊目が加わることになり、しかもその上位を占めることになりそうなのには驚きを禁じ得ませんが、それほどに『創作講座　料理を作るように小説を書こう』はユニークであり、他書には欠けていた部分をみごとに補完しています。そしてそれは山本弘という作家のあり方――彼がＳＦを通じて小説の面白さに目覚め、そこから創作の道に進んでいったことと強く結びついているのです。

ここでちょっと、私自身の話をさせてもらうと、私は今ではもっぱらミステリ、それも「本格」と呼ばれる謎解き中心の小説を書き続けていますが、最初に小説を読む喜びに目覚め、夢中でむさぼり読むうち、自分でも書きたくなったのはＳＦでした。

なぜといって、ＳＦには科学的空想のほかに冒険がありアクションがあり、未来だけでなく現在や過去を舞台にしたものもあり、とてつもなくスケールの大きなものから日常を細かく描写したものまであって、およそ小説の面白さといえるものが全て詰めこまれていたからです。文体の使い分けやストーリーの構成、語り口といったテクニックもＳＦを通じて知ったのですし、ＳＦと出会わなければ小説というものをそんなに好きにならなかったことはまちがいないでしょう。

そして、山本弘さんも、たぶん同じなのです。ＳＦというジャンルを愛し、ＳＦにこだわってきた彼は、最も小説の面白さというものを知り、その可能性を信じている作家でもあります。そんな山本さんが書いた小説創作の指南書が、面白い作品（この本の表現に従えば「美味しい小説」）を生み出す役に立たないわけがないのです。

私と山本さんとの出会いについては、『世界が終わる前に　ＢＩＳビブリオバトル部』（創元ＳＦ文庫）の解説で、拙作のとある登場人物が語ってくれていますが、その後、山本さんがデビューを経てゲームの世界に入られている間、私はずっとＳＦの熱心な読者ではなくなっていました。それは、あらゆる小説の面白さを全て兼ね備えたこのジャンルに唯一ないものを、本格ミステリに見出していたからですが、もう一つ、ＳＦに十代のころのような驚きやときめきを感じられなくなっていたためでもあります。

それは、私自身の感性の変化でもあったのでしょうが、何より一九七〇年代の終わりから八〇年代にかけて一気にメジャー化し、〝浸透と拡散〟という名の一般化を経たＳＦそのものの変質という側面も大きかったでしょう。多くの読者に迎えられ、マーケットをつかんだジャンルはしばしば保守化し、かえって窮屈になってゆきがちなのです。

ところが、二〇〇四年刊行の『審判の日』（改題文庫『闇が落ちる前に、もう一度』（角川文庫））――山本さんのＳＦ作家としての再始動は前年の長編『神は沈黙せず』（角川文庫）においてですが、読んだのはこちらが先でした――に、私は驚愕せずにはいられませんでした。この短編集で、かつての自分を夢中にさせ、ジャンルこそ違うものの作家へと導いたSFの魅力と、そっくりそのまま再会することができたからです。

どうしてこんなことが可能となったのか――その答えは、山本さんのエッセイ集『トンデモ本？違う、SFだ！』『トンデモ本？　違う、SFだ！　RETURNS』（ともに洋泉社）にありました。ここにとりあげられた膨大なSF作品と、それらの奇抜で意表を突くアイデア、波乱万丈で意想外なプロット、目を洗われるようなテーマの数々は、山本さんがSFのどこに魅力を感じ、何をもって小説の面白さとしてきたかがわかります。そして、その面白さというのは、あらゆるジャンルに通じるものなのです。

この人の中でSFへの情熱、小説というものへの信頼、さらにはその面白さへの追求心は小ゆるぎもしていなかったのだなと確信するとともに、その発想法や創作の秘訣について興味がわきました。その後次々と刊行された作品によって、その思いはいっそう強まりましたし、まさかそれが、この本に書かれたような形で明らかにされるとは思いませんでした。ましてこんなにもユニークなものとは予想できなかったのでした。

実は私自身、以前からいくつかの創作講座にかかわってきて、観念的なものではなく、あくまで実践的に小説を書くテクニックを伝えようとしてきました。そこで私がもっぱら行なってきたのは、頭の中にすでにあるイメージや物語の断片、あるいはここのシーンをどうつなぎ合わせ、一編の小説として組み立ててゆくか、その細かなテクニックでした。

小説にせよ漫画にせよ、およそ創作を志す人は何かしら書きたいものがあって、でもバラバラなそれらを一連《ひとつら》なりに結びつける段階で一番挫折しやすいと考えたからです。

なので、それに先立つアイデアの見つけ方、イメージの思い浮かべ方などについては、後回しというか受講者個々人に任せる形にしていました。つまり、料理のたとえで言うなら、食材の見つけ方・そろえ方と、そもそもどんな料理を作りたいかという部分については、説明しようのないがゆえに説明していなかったのです。

おそらくこの点については、ほとんどの創作作法書も同様でしょう。ところが本書は違うのです。小説創作の方法論を、ＳＦの発想法というところから説き起こすがゆえに、これまでの類書ならばすっ飛ばさざるを得なかった部分までもが語られているのです。

さながらそれは、アイザック・アシモフの『銀河帝国の興亡』（創元ＳＦ文庫）に登場する、世界の知識のすべてを網羅した《銀河百科事典《エンサイクロペディア・ギャラクティカ》》さながら。その小説世界版といったところです。そして、この百科事典をハリ・セルダン博士ならぬ山本弘さんが書き上げ、彼の〝ファウンデーション〟に加えたことによって、ＳＦのみならず小説という物語形式は延命を図ることができるのかもしれません。

私がどんな創作講座をするよりも、これ一冊を生徒さんに差し出す方がはるかに有効というのは、いささか複雑な気分とならざるを得ませんが、本書を手にした人たちが小説創作という無限の大海に乗り出すに当たって、本書が無上の海図であり、水先案内となることはまちがいないでしょう。そして私のような一応はプロ作家を名乗っている者にとっても……。

そして、私は期待せずにはいられないのです――本書に盛りこまれた秘訣、方法論、ノウハウその他に基づいて、あるいはそこから逸脱した新たなやり方で、山本さんが今後どのような小説銀河を構築していかれるのかを。読者のみなさん、おのおのの創作にいそしみつつ、楽しみに待とうではありませんか。

本書は〈ミステリーズ！〉vol. 78―vol. 84（二〇一六年八月―二〇一七年八月）の連載を加筆訂正したものです。

創《そう》作《さく》講《こう》座《ざ》　料《りよう》理《り》を作《つく》るように小《しよう》説《せつ》を書《か》こう

2021年4月9日　初 版

著者
山《やま》本《もと》　弘《ひろし》

装画
竹田嘉文

装幀
日高祐也

発行者
渋谷健太郎

発行所
株式会社東京創元社
〒162-0814 東京都新宿区新小川町1-5
03-3268-8231(代)
http://www.tsogen.co.jp

印刷
モリモト印刷

製本
加藤製本

　ISBN978-4-488-02835-0　C0095

日本初の本格的ビブリオバトル青春小説シリーズ

She That Hath Wings◆Hiroshi Yamamoto

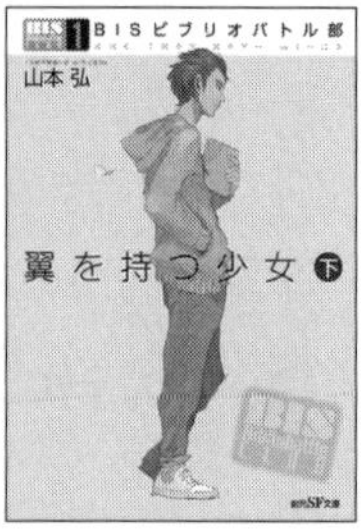

BISビブリオバトル部1
翼を持つ少女 上下

山本 弘

カバーイラスト＝pomodorosa

◆

中高一貫の美心《びしん》国際学園（BIS）に入学したSF好きの少女・伏木空《ふしきそら》は、ノンフィクションが好きでSFに理解のない同級生・埋火武人《うずみびたけと》に誘われて、ビブリオバトル部に入部する。部員たちは、雑学本、ボーイズラブ、科学関係など、それぞれ得意分野を持つ個性派ばかりで……

「本を紹介する」という新分野を切り開く、

ビブリオバトル青春小説シリーズ開幕！

創元SF文庫の日本SF